纽伯瑞国际大奖小说集

Miss Hickory
胡桃木小姐

[美]卡罗琳·舍温·贝利/著　　李宏声/译

山东科学技术出版社
·济南·

图书在版编目（CIP）数据

胡桃木小姐 / (美) 卡罗琳 · 舍温 · 贝利著 ; 李宏声译 . -- 济南 : 山东科学技术出版社 , 2018.3（2024.5重印）
（纽伯瑞国际大奖小说集）
ISBN 978-7-5331-9161-0

Ⅰ . ①胡…　Ⅱ . ①卡…　②李…　Ⅲ . ①儿童小说 – 长篇小说 – 美国 – 现代　Ⅳ . ① I712.84

中国版本图书馆 CIP 数据核字 (2017) 第 299993 号

纽伯瑞国际大奖小说集
胡桃木小姐
NIUBORUI GUOJI DAJIANG XIAOSHUO JI
HUTAOMU XIAOJIE

责任编辑：董小眉
装帧设计：艺唐广告

主管单位：山东出版传媒股份有限公司
出 版 者：山东科学技术出版社
地址：济南市市中区舜耕路 517 号
邮编：250003　电话：（0531）82098088
网址：www.lkj.com.cn
电子邮件：sdkj@sdcbcm.com
发 行 者：山东科学技术出版社
地址：济南市市中区舜耕路 517 号
邮编：250003　电话：（0531）82098067
印 刷 者：湖北鑫光印务股份有限公司
地址：湖北省云梦经济开发区三湖大道 13 号
邮编：430070　电话：（0712）4084888

规格： 16 开（155 mm × 220 mm）
印张： 10　　**字数：** 200 千
版次： 2018 年 3 月第 1 版　**印次：** 2024 年 5 月第 3 次印刷
定价： 19.80 元

前 言

纽伯瑞儿童文学奖简称纽伯瑞奖，该奖项是由美国儿童图书馆服务协会（Association for Library Service to Children，ALSC）为纪念英国儿童文学作家和出版家——纽伯瑞而设立的。

纽伯瑞出生于1713年，他出版了世界上第一本儿童书——《美丽小书》，开办了世界上第一家专门的儿童图书印刷厂、世界上第一家专门的儿童书店。他出版发行的儿童文学书籍深受孩子们的喜欢，他由此开辟出了一条英美儿童文学之路，因此后世称之为“儿童文学之父”。

以纽伯瑞命名的纽伯瑞奖，1922年创办，每年评选和颁发一次，奖励前一个年度出版的优秀英语儿童文学作品，一直延续至今。纽伯瑞奖历史悠久，对美国乃至世界的儿童文学都影响深远。该奖项获奖要求之严格，获奖作品水准之高超，均是有目共睹、众所周知的。纽伯瑞奖获奖作品题材广博，不仅针对儿童的各种心理，诸如恐惧、忧愁、悲伤等做出开解，还蕴含了对全人类和大自然悲天悯人的关怀。因此历年来获得纽伯瑞奖的优秀作品，被每个美国家庭收藏，成为每个美国青少年的必读书目。

正因为纽伯瑞奖的权威性和经典性，我们特从获奖作品中选取了八本历年来畅销不衰、深受小读者们喜爱的作品，旨在帮助更多的青少年阅读到经典的优秀儿童文学作品，从中感悟到人性的光芒和力量。

该八本经典文学作品分别是《彩虹鸽》《牧牛小马斯摩奇》《胡桃木小姐》《草原上的小木屋》《吹号手的诺言》《杜立德医生航海记》《木头娃娃历险记》和《兔子坡》。

其中，《彩虹鸽》讲述了一只脖颈处有着彩虹一样绚丽颜色的鸽子充满传奇的一生，处处流露出作者对生命和大自然的关爱；《牧牛小马斯摩奇》则讲述了一匹名叫斯摩奇的野马跌宕起伏的一生，从性格开朗到暴虐，之后变得逆来顺受，最后再次被主人的关爱激活，重新找回快乐，该书悬念迭出的故事情节定会让青少年爱不释手；《杜立德医生航海记》讲述了精通动物语言的杜立德医生传奇的航海故事，该书想象力丰富，故事情节跌宕起伏，一直备受青少年喜爱……

该八本书每一本都精彩纷呈，不再一一赘述。期待小读者们能自己拿起这套书，亲自去发现里面的丰富和传奇；也盼望着这套书能成为小读者们人生路上的启发者，帮助小读者们拥有向上和向善的力量！

纽伯瑞国际大奖小说集

目录

第一章
乌鸦来访

胡桃木小姐听到了一阵咣咣咣的脚步声传来，听上去有点沉重，这脚步声是从牧场的石块那边传过来的，正在渐渐地向丁香丛靠近。

胡桃木小姐从眼睛的余光里瞥见一双黄色的大脚，可是她没有回头。事实上，胡桃木小姐不是不想转动自己的脑袋，只不过对她来说，这个转头的动作有点困难，因为她的脑袋是用胡桃木坚果做的。

坚果上尖锐的地方就是她的鼻子；她的眼睛和嘴巴是用墨水画上去的；身体是由苹果树的小嫩枝做成的，与平常看到的小树枝没有什么不同，有两只胳膊，两条腿。然后再用胶水把头和身子粘好，这就是胡桃木小姐了！她穿着蓝白相间的格子连衣裙，戴着一顶带有褶边的小白帽，帽子两边的小细绳系在了她的下巴下面。

许多人第一次见到胡桃木小姐的时候，都会说胡桃木小姐是一个乡下玩偶，因为她是那个在希尔斯伯勒开小杂货店的可拉图小姐做的。后来可拉图小姐又把她送给了名叫安的小女孩了。不过，我想你可不应该这么认为，因为当看到她那尖尖的、微微向下倾斜的小鼻子，噘起的小嘴，还有那双热情的眼睛时，你就会知道她可不是一个普通的小玩偶。胡桃木小姐是一个真正的人，就像她的女主人安一样。

一道黑影滑过胡桃木小姐房子的门槛，一阵粗哑的“呀呀”声好像是故意为了引起她的注意，但是她没停下来，还是继续用那把松针做的扫帚扫地。

胡桃木小姐刚刚用完茶，洗了橡子杯和小碟子，把它们整齐地摆放在炉子边的架子上。

她还收集了好多小母鸡丢弃的羽毛，铺到床上，上面盖了一条鲜艳的被子，被子上还有几片漆树叶子做的补丁。这张床，你只要躺上去，肯定能做一夜的美梦。

胡桃木小姐的房子是由好多好多的玉米棒子做成的，虽然有凹进去的小口，但是玉米棒都整齐地排在一起，并用胶水糊好。

这座小房子就立在丁香丛的下面，每当丁香花开放的时候，总是会飘来一缕缕淡淡的清香，紫色的花朵由绿叶衬托着，它们整个夏天都可以与鸟儿们一起嬉戏了。“如果有谁不得不住在镇上的话，那一定要把房子建在丁香丛下面”。这也是胡桃木小姐经常说的一句话。

时间过得非常快，夕阳的余晖透过了果园，穿过胡桃木小姐的前门，随意地投下了一点碎片，然后那个大红苹果般的太阳就匆匆从天上掉了下去，躲到了坦普尔山的后面。说到坦普尔山，它是一座春夏秋冬都在保护果园、保卫世界的山！太阳非常早就下山了，因为现在已经是九月底了。

胡桃木小姐迅速地扫着地，这样可以让身体暖和点。

只要稍微想一想冬天就要来了，胡桃木小姐的全身就开始哆嗦起来。

就在这个时候，一个有着黑色的大脑袋、两只亮晶晶的眼睛，还有一张长长的嘴巴的家伙，“呼”地一下闪过窗户，真的把胡桃木小姐吓了一跳，她把扫帚停了下来。

“胡桃木小姐，你在家吗？”乌鸦克洛用粗哑的声音问道。

“哈哈，如果你稍微用点脑子的话，你觉得呢？”胡桃木小姐反问道，“我听到了你这双黄色大脚发出的声音，也看到了你从我这里路过。如果你认为我的墙壁上还剩下一粒玉米可以让你啄的话，那你就犯了一个严重的错误了，因为它们都被你吃光了！”

“亲爱的姑娘！”乌鸦克洛一边说着，一边弯下腰来，走进了房子里，好像这就是他自己家一样，“您永远都是那么礼貌，那么慷慨！”

好像有一丝微笑牵动了胡桃木小姐脸上的皱纹。“给！”她从口袋中拿出几颗玉米粒来，伸出了她的手。这些玉米粒都是黄黄的，看起来非常硬。

乌鸦克洛狼吞虎咽地吃着玉米粒，发出咕咕的声音，微微地低着头。

“不用谢我，你待会肯定会打饱嗝的！”胡桃木小姐赶紧说，“有什么消息吗？如果有消息的话，你肯定听说了！”

“准确地说，我会出现在这里，那是因为他们把消息用无线电给发出去了，”乌鸦克洛说，“确实有个消息，而且还是与您有关的。”

胡桃木小姐慢慢坐回到她的蘑菇凳上，整理了一下裙子，把她的双膝盖好。

乌鸦克洛让自己的翅膀舒服地休息着，放松他的脚趾头，整个身子靠在了墙壁上。

他们这两个人，经常吵架拌嘴，但彼此之间又有伙伴的感觉。

乌鸦克洛并没有骄傲自大，他就是一个普通的乡下人。这个世界没有给他奢侈的生活，所以他只能自己找点浆果、玉米什么的吃。那些夏天的虫儿、知更鸟、画眉鸟、百灵鸟也都可以照顾好他们自己的，可是乌鸦克洛却觉得，他们为了摘到浆果和种子，付出的代价有点太高了。

不过，乌鸦克洛知道整个村子即将发生什么事情。

乌鸦克洛非常严厉，也懂得预测天气。

乌鸦克洛在每个春天都会给希尔斯伯勒的“老乌鸦周”设置日期，于是每年春天开始的时候，总会有各种各样的预言出现。

乌鸦克洛可以走，也会飞，这就说明他去过的地方比大多数的鸟儿去过的地方要多。

乌鸦克洛也知道胡桃木小姐的出身，她只是树上的一部分，他非常尊重胡桃木小姐就是因为她有那样的祖先。

“那么，你要说的消息是什么呢？”胡桃木小姐最后还是先开口了。

乌鸦克洛把翅膀收起来，护在了胸前，把嘴巴朝向了胡桃木小姐。

“布朗老奶奶要在这个冬天搬离这所房子，她想要住在休斯敦比肯山上的城市女孩俱乐部，要一直住到明年的春天！”

一时间，屋子里安静了下来，他们都陷入了沉思……

乌鸦克洛的话让胡桃木小姐吃了一惊，她说不出话来了。

“我明白，”乌鸦克洛说，“你希望再住一个冬天，住在这所房子里，在布朗老奶奶的厨房的窗台上。你也希望你的女主人安每天能顺便多来几次，给你带来一些你可以用得上的东西，像一个小铁炉、一只平底锅或者一只锡做的茶壶。可是，安和一家人都要搬到休斯敦去了。安到时候还会在那里上学呢！”乌鸦克洛向天花板看了看，装作也非常吃惊的样子。

胡桃木小姐站了起来。她走到了乌鸦克洛的面前，锐利的鼻尖几乎戳到了他的脸上。

“他们不能这样做！他们不会这样做！”

“哦，是的，胡桃木小姐，”乌鸦克洛向她保证说，“去过休斯敦的两条腿的家伙都盼望能有一双翅膀。只有我们这些在乡下并且又能飞翔的人，才不需要去城市的。对了，我听说有只八哥去过休斯敦的公园，不过……”

“停！不要瞎说！”胡桃木小姐的两只手在不停地晃动着，显得非常痛苦，“你快讲重点！”

“重点就是你，亲爱的姑娘！”乌鸦克洛用翅膀尖拍了拍她的肩膀，“你应该从布朗老奶奶的厨房窗子上看到过新罕布什尔州的雪堆积得有多厚。我敢保证再有几天你甚至看不到窗外的样子了。你应该清楚，这里的冬天可是又漫长又艰难的，胡桃木小姐！”

“要是那样的话，我们能做点什么呢？”胡桃木小姐问乌鸦克洛，她还不是太相信他说的话。

“你别想得太糟糕，好像他们都会把你忘记了似的。”乌鸦克洛友善地说道，“现在,安的心里如果还挂念着其他什么的话，我想不能仅仅是一个玩偶。布朗老奶奶是在新罕布什尔州出生，并在新罕布什尔州长大的，她也希望你能平等地对待所有的天气。你们会一起搬走的，胡桃木小姐！”

“要搬到哪里去呢？”胡桃木小姐走向了窗子，眼睛看着西边。在那里，每年森林里生发出来的那种任性放纵和幽静深远，正逐渐靠近这个名叫“欧得”的地方。

可在这个时候，胡桃木小姐和乌鸦克洛都已经忘记了欣赏夕阳，那片晚霞好像是用彩虹编织成的毯子，正环绕着坦普尔山。

“哦，这就是困难所在了！”乌鸦克洛用粗哑的嗓音回答她。

胡桃木小姐使劲跺了一脚，生气地说：“不要像鹦鹉那样说话！不管你是从收音机那儿还是从莎士比亚那儿听到的，你只需要重复一遍就行了，我知道你不认识字！”

乌鸦克洛把头低下，谦虚地说：“你说得非常对，但是我刚想说的是我们应该制定个计划，然后马上执行，你不能一整个冬天都住在丁香丛下面啊！”

“我们？这里又不是你的家，这里只属于我！我喜欢这里，我不能搬！到时候我的炉子放在哪里？我的锅呢？我的茶水壶呢？我的杯子，我的碟子还有我的床都放哪里？如果我住在乌鸦窝里，那里没有好的家具，不能好好地做家务……”

胡桃木小姐说不下去了。她只能又怜爱又害怕地看着家里的四堵玉米棒墙壁。

“你给了我灵感，胡桃木小姐。”乌鸦克洛用一条腿支撑着自己，用另一只脚挠了挠脑袋。

“我可一点也不知道你的灵感！”

“但是这小小的变化对我们都有好处。”乌鸦克洛洋洋得意地说，“你应该记得，亲爱的姑娘，你可不是一出生手里就托着个杯子、碟子什么的。”

胡桃木小姐再也不能忍受了，她发脾气了：“我相信你只是瞎说，我才不相信欧得会荒芜掉的，我要先问问威拉德布朗先生，他会告诉我实话的。至于你，哼，乌鸦克洛……”这时，她在门边上挺直了身子，尽量使自己看起来显得更高一些，更勇敢一些。“你滚出我的房子！”她命令道。

“就像您所希望的吧。”乌鸦克洛故意显得非常严肃的样子向门口走去，“不过，别担心，有些注定要发生的事还是会发生的！”

“我就是不搬！”当乌鸦克洛走向门槛的时候，她不断地重复着这句话。但是，乌鸦克洛还是用嘴轻轻地啄了啄胡桃木小姐的头。

“硬壳脑袋，就是你这样的！”说完，乌鸦克洛走向松树林，消失在黄昏里。

看着乌鸦克洛离开后，胡桃木小姐用她的小嫩枝做成的手托着她的坚果脑袋。

其实胡桃木小姐也知道，乌鸦克洛说的全都是真的。她的头显然是个硬壳脑袋。

她在房子里慢慢地挪动着，掀起火炉的盖子，拨弄了一下烧红的煤炭，翻了下床罩。做这些家务让她觉得非常舒服，但突然有一种从未有过的感觉涌上了心头，也许是因为还残留在她体内的树液在作怪，也许是因为还装在硬脑壳里的甜坚果在起作用。

不管是什么引起的，反正胡桃木小姐开始哭了。她的眼泪一滴滴地流了出来，划过她长满皱纹的脸。眼泪落得非常快，她只好用裙子来擦干。

天已经黑了下来，没有人看到她现在伤心绝望的样子，没人听到她的抽泣声。

“这不是真的！我不搬！威拉德布朗先生明天肯定会告诉我这只是一个噩梦！”

第二章
采摘浆果

“要想把罐头做好的话，我认为今天是最合适不过的日子了！”

胡桃木小姐自言自语地说道。

说完，胡桃木小姐点燃了火把，向森林走去，她要去寻找浆果。

外面虽然有点干冷，但却真是美妙极了，胡桃木小姐暂时忘记了乌鸦克洛给她的警告。

乌鸦克洛总是用沙哑的嗓音说话，而且说起来没完没了，还总吵个不停，所以胡桃木小姐并没把他的话放在心上。

“乌鸦克洛好像总有话要说，而且还总是喜欢听自己说话。”

胡桃木小姐一边提醒着自己，一边把灯芯草篮子挎在了胳膊上，之后就迈着她的小嫩枝细腿，轻快地朝森林走去。

胡桃木小姐把火把高高地举过了头顶，火光忽明忽暗，她非常容易就找到了路。

火把的亮光给胡桃木小姐带来愉悦的心情，紫色的孔雀草铺成的道路仿佛是皇家的地毯，走在上面，她感到非常自豪。

走着走着，就走到了森林的深处。

胡桃木小姐离开了大路，一下子就进入了茂密的绿松林里。

胡桃木小姐的嗅觉和狐狸的嗅觉一样灵敏，松树的气味一下子弥漫在她的鼻子里。

胡桃木小姐不知道为什么。

但是每当她一个人在森林里嗅到泥土的芳香，踩在蕨类植物上闻着松树的味道的时候，她就感觉自己变成了另外一个人。

胡桃木小姐真的好想在她有时间的时候，过来挖一棵铁杉的幼苗带回去，然后再将幼苗种在她的玉米棒房子的门前。

胡桃木小姐有这个想法也不是一两次了，她经常会这样想。这时森林里吹来了一丝冷飕飕的风，再加上她刚离开了那条有阳光的大路，她清醒地感觉到今年采浆果的时间已经不多了。

胡桃木小姐跪在了地上，用手扒开了泥土上厚厚的落叶。

有了落叶的覆盖，即使是非常冷的天，泥土还是非常的温暖，这让她每次都很惊讶。

她把落叶扒开，落叶被扒得到处都是，她找到她想要的藤。

胡桃木小姐把小手臂伸到落叶和泥土里，这样也会让她非常高兴，就像闻着森林的味道会让她高兴一样。玩了一会儿之后，胡桃木小姐就开始采摘鲜红的浆果，然后装在篮子里。

她知道一点时间都不能浪费。

因为公鸡菲摄特先生就住在附近，他可是远近闻名的浆果采摘高手。

先摘鹿蹄草浆果！它们站得直，而且就长在茎上，看得非常清楚，所以摘起来非常快。

但要是想把这种浆果保存在橡子罐里一整个冬天的话，就需要很多的甜味调料。胡桃木小姐要是采够一个季节吃的这种果实，她的甜味调料是远远不够的。

所以，她只采了一点儿这种浆果。而且，她还摘了一些鹿蹄草的叶子，那些叶子非常美味又非常清新，可以用来泡茶喝。

接下来是蔓虎刺浆果。

成熟的蔓虎刺靠近地面，一对对鲜红的小浆果紧紧相挨着，悄悄地长在了低矮的藤蔓上。胡桃木小姐可以用蔓虎刺浆果的汁液做成罐头。

当胡桃木小姐采摘完了浆果，正准备满载而归的时候，她突然想起了公鸡菲摄特先生曾经跟她说起的一些事情。

原来，公鸡菲摄特先生曾说过："当蔓虎刺浆果成熟的时候，离下第一场雪只有两个月的时间了。"

胡桃木小姐回到家门时，看到她房子的门口都被威拉德布朗先生的带斑纹的肥腰给占据了。

威拉德布朗先生非常享受透过光秃秃的丁香丛射下来的阳光，他的尾巴前后摇摆着，好像一面旗帜。

威拉德布朗先生是一只住在谷仓的流浪猫，他是非常有名的猎手。

胡桃木小姐非常喜欢他。

虽然威拉德布朗先生过着神秘的生活，但总没有乌鸦

克洛那么神秘。他的消息非常灵通，也愿意同人分享他的故事。

“你今天早上迟到了。”

胡桃木小姐告诉他。

“因为早上挤奶晚了。”威拉德布朗先生解释道，“我不能像平常一样一边喝着刚挤出来的牛奶一边吃我的早餐。”

胡桃木小姐放下装满浆果的篮子走近他，目光直直地看着威拉德布朗先生绿色的眼睛。

“你肯定有故事要讲，我的朋友。”胡桃木小姐说，“但是我相信如果你先洗完脸再说的话，这个故事肯定会更好的。你的嘴边还有一根羽毛呢！”她把羽毛轻轻地拨掉。

“哦。是该洗脸的。”

威拉德布朗先生假装非常后悔的样子。

“也不管我晚上有多早钻入羽绒被，一到下午茶时间，总有人催我在柔软的羽毛枕上打个小盹儿。”

他嘟囔着，尽量掩盖他的难为情。

“没事。”胡桃木小姐说，“我们都了解你的习惯。能在今天早上见到你，我非常高兴。哦，对了，乌鸦克洛前些天来过了。”

“不要再提他了！”威拉德布朗先生吐了一口痰，“我可不会吃一只爱打赌的乌鸦。上次我见到他，他刚好向我走来，还对我说了一句脏话，我就朝他的身上吐了一口痰。”

“你如果偶尔听听乌鸦克洛的话，你可能会是更善良的人。”胡桃木小姐对他说，“在你打断我之前，我本想跟你说说乌鸦克洛告诉我的事情，他说布朗老奶奶全家都打算搬到休斯敦那儿去过冬。他还说布朗老奶奶要去休斯敦的比肯山上的城市女孩俱乐部，而且安也要去那里上学。当然，这些肯定都是瞎说的。”

威拉德布朗先生站起身，他伸了伸懒腰，还打了个呵欠。

“不是打算，也不是瞎说，亲爱的。”他对胡桃木小姐说，“这些都是真的，真的，他们已经走了！”

胡桃木小姐只是听着，没有说一句话，眼睛里充满了忧伤。

威拉德布朗先生继续说：“你应该知道得更多，胡桃木小姐。整个夏天你都躲在丁香丛下不怎么出去。即使出去了，也只是去树林里采浆果，或者去听黄菖蒲的布道。你最近如果能到门前走走的话，说不定你也会看到树干从阁楼掉下来呢！”

“走了！”

胡桃木小姐最后长叹道。现在她终于愿意相信所有的都是真的。

她不愿意让威拉德布朗先生看到她哭泣，于是只跺了跺脚。

“都是你的错！”胡桃木小姐大声喊道。

“他们是为了离开你才走的！你会在门上留下抓痕，在厨房里看到牛奶就流口水。当然，你也只是做了猫该做的事。我应该告诉所有希尔斯伯勒的人，你的名字叫提彼，因为你尾巴上有白色的末梢。‘威拉德’是你出生的那个谷仓的名字，而‘布朗’这个姓，只不过是你自己借来的，故意作假！你真是太狡猾了，提彼，我总是怀疑这一点！”

威拉德布朗先生大声地咕噜着，蜷缩着爪子，微笑着说：“我是一个非常有名气的捕鼠高手，所以，我的名字跟我卑微的出身都会被忽略掉。如果你怀疑我和乌鸦克洛的话，那你为什么不自己去门口看看呢？就为了说服你自己！”

他摇着尾巴，走向谷仓。

胡桃木小姐连步子都迈不开了，她看着威拉德布朗先生抖动着两边的肥肉，就这样迅速地消失在了谷仓的大红门里。

在这之后，胡桃木小姐慢慢地走出丁香丛，走出她的玉米棒房子，走过她的浆果篮子。

她绕过花园，穿过草坪，来到了靠近门廊的粉色蔷薇篱笆前。

她顾不上篱笆上的尖刺了，她爬上篱笆，一直向上爬，直到她可以看到窗户上的一个裂缝，那里刚好没有被阴影全部遮盖住。

蓝色的摇椅上没有人，安静地摆在那里。壁炉用木板挡上了。

家里的《圣经》已经被仔细地包在白色的毛巾里，放在屋子中间的桌子上。

黄铜色的老钟摆正发着微弱的光，已经不走了，指针正好指向八点钟。

看着草坪上阳光的方向，胡桃木小姐想，这时应该已经是中午了。在墙壁上，以前用绳子拴住的挂历也没有了。

原来他们已经离开有一段时间了，只是胡桃木小姐自己不知道罢了。

胡桃木小姐现在才愿意相信乌鸦克洛和威拉德布朗先生说的全是真的！

如果脑子可以糊涂的话，胡桃木小姐的脑子早就糊涂了。

她感觉自己好虚弱，就要快抓不住篱笆了，但是最后她还是小心翼翼地下来了。

威拉德布朗先生正等着胡桃木小姐，他已经从房子的角落轻轻走过来了。

“好吧，胡桃木小姐。”威拉德布朗先生说，“现在我们都陷入同样的困境了。为什么不跟我一起到谷仓里呢？整个冬天，谷仓都会一直开着的，而且我已经被任命为捕鼠的首领了！”

“我可不是天生就住在谷仓里的人！”

胡桃木小姐失望地对他说。

“那你天生住哪里呢？”

威拉德布朗先生问道。

“我要回家了。”胡桃木小姐说，“今天我要在家里把那些罐头全部都做好！”

“家？”威拉德布朗先生笑着说，“真是太搞笑了！我刚刚经过你的家门口，现在那里已经被占领了。你肯定知道金花鼠吧，就是住在石壁里的那只金花鼠，被那些花生礼物宠坏了的那只金花鼠。你觉得他会甘心等着别人去救济他吗？不会的，他早就搬进你的房子里去了，胡桃木小姐！哦，我想说，他应该只会住一个冬天吧。我看到他的时候，他刚刚吃完了晚饭，吃的就是你那一篮子的浆果！”

第三章
搬入新家

胡桃木小姐不知道自己在蔷薇篱笆前坐了多久。

如果当时胡桃木小姐在自己家的后门，她早就哭了。那个小小的玉米棒屋子，是那么舒服，那么熟悉，现在却让金花鼠给霸占了！

而在这里，前面就是宽敞的大路。

胡桃木小姐非常要强，所以她尽量遮掩自己的伤心——说是伤心，还不如说是绝望。

她全身被露水沾湿了，被这个冬天的第一场霜冻给冻僵了。

大风从坦普尔山的方向吹来，吹打着她已经湿了的裙子，吹着她两条不停哆嗦的腿。

路上没有多少人，也没人注意到她。

威拉德布朗先生正在温暖的谷仓里忙碌着，胡桃木小姐对他也没什么想法。

这时，天空下起了雪，片片雪花飘落在胡桃木小姐的帽子上……

终于有一天，就在胡桃木小姐觉得她的末日快到来的时候，在路的另一头的果园那里，只见乌鸦克洛轻快地向她走来。

他，会不会也只是路过呢？不！乌鸦克洛拐到她前面的路上，向她走近。

他走到了蔷薇篱笆下，看见胡桃木小姐正缩成一团。

乌鸦克洛伸出了一条腿，向胡桃木小姐表示问候。

“亲爱的姑娘！”

他发出沙哑的嗓音，也不管胡桃木小姐全身都是泥水。

乌鸦克洛明白她一定非常痛苦，因为她失去了太多太多了。

乌鸦克洛非常忙，他刚听说了金花鼠的事情。

“不用解释，胡桃木小姐，”他沙哑的嗓音又传了过来，“我们每个人都有每个人的困难。我以前告诉过你有些事会发生的，你看，发生了吧！”

“你说什么?”

胡桃木小姐站起来，靠在了篱笆上。

“首先，”乌鸦克洛告诉她，“你必须有这样的思维，一种变化、一次旅行或者一个新的场景对于我们所有的人来说都是一件好事情。尤其对你而言，胡桃木小姐，你需要有一些变化。你和那些只要一个杂货店、一辆福特汽车、一个炉子或一个遮风挡雨的窗户就满足的人一起生活的时间太久了，整整有两年呢！你经历的风雨真的是太少了！”

胡桃木小姐伸出了双手，不再显得那么骄傲，那么没有礼貌了。

“少说这些大道理，乌鸦克洛！你说说看，是什么被你说中了?”

“你有个新家了！”他迈着轻松的步伐，用一只翅膀指路，“不要问任何问题，你只要跟着我走就行了。别再浪费时间了，我明天很有可能就要走了，再也不回来了。不过在我走之前，我应该把你的住处解决了才行。跟我来吧，亲爱的姑娘！”

胡桃木小姐跌跌撞撞地跟着乌鸦克洛走着。

乌鸦克洛见胡桃木小姐走得太慢了，就用他的一只黑色的大翅膀紧紧地护住了她，他的翅膀好像一顶大帐篷，温暖又有力。

乌鸦克洛黄色的大脚护着胡桃木小姐的小脚，两个人渐渐地把欧得甩在了后面，走上了大路。

乌鸦克洛脚步放小，尽量配合着胡桃木小姐，用沙哑的声音认真地与她谈话，把她带向了果园。

“你说过我的窝有点乱，你说得对极了，胡桃木小姐！我的窝只有枝条、稻草和树皮，但是你一定要明白，我是个做大事的男人，我每天都要到处忙着，在玉米地里、在果园里以及蔬菜园子里。我所需要的家，其实就是一个挂帽子的地方。可是我的家建在一棵非常高的松树上面，在那里我还可以放哨。就因为这样，我才看到了你的新家！”

他们很快就走到了果园。

“往这边拐！”乌鸦克洛指引着胡桃木小姐。

“你根本想象不到你的新家会有多么隐蔽，它就在这座山的背风处，上面又有松树林可以防风。靠在我身上，胡桃木小姐，我们很快就要到了！”

他们随后走上了一条落满残枝枯叶的路，路上还有几棵奇形怪状的老苹果树。如果爬上了果园的山坡可能会好点，那样可以看到阳光……

胡桃木小姐感觉自己好像飘起来了，原来她的腿被吊起来了，然后她爬上了乌鸦克洛的翅膀。

她好像又觉得是森林给了她力量，她要使尽全身的力气才能牢牢地抓住乌鸦克洛，不过这样她觉得全身都暖和了起来。

胡桃木小姐兴奋得心怦怦直跳，她相信乌鸦克洛正在帮助她开始一次伟大的冒险。

说不定有一座小木屋正等着她，那里可能还有她盼望已久的壁炉和烟囱。

等她签了租房合同后，她肯定会回去把金花鼠赶走，然后把她的所有东西都搬到新家里……

“还非常远吗？”胡桃木小姐喘着粗气问。

乌鸦克洛没有马上回答。

乌鸦克洛在数数的时候，从来不超过一。一个浆果；一颗饱满的绿豌豆；一嘴的玉米粒……连他父亲教他种玉米的规则都是这样的：

种一棵给地老虎（一种地下害虫），
种一棵给乌鸦，
种一棵给农民……

“不要担心剩下的，”乌鸦克洛的父亲说过，“剩下的没有任何意义，除非以后有‘两棵一起长’的奇迹发生！”

所以，乌鸦克洛不会数山坡上的树，而是给每棵树起名字。

“彻丽、北面间谍、克拉普最爱的梨树、麦金托什。麦金托什，麦金——麦金——托什——托什——”他的舌头开始打结了。

“我们到啦！”他最后说，在他们沿着山坡大概飞了一半的路后。那里到处都是长满疤痕的老苹果树。

他停在一棵树下，这棵树看起来到了春天都没有必要修剪了。

它的枝干都伸到了地面上，舒适地靠在斜坡上，不会被风刮倒。乌鸦克洛把胡桃木小姐放下来，蹦到了一根低矮的大树枝上。

“爬上来！”乌鸦克洛发出命令。

“但是……我不明白。”胡桃木小姐犹豫着。

乌鸦克洛展开了翅膀，很快就消失在苹果树的枝丫中。

但是他沙哑的嗓音却传了过来：“谁犹豫谁就输了！你想不想住在这里等春天的到来？你爬上来，快点照我说的去做！”

胡桃木小姐抓住了低处的树枝，嫩枝做的手指碰到了树枝，好有回家的感觉啊！

“稍微摆动一下，然后，跳！”乌鸦克洛的声音从更高的地方飘了下来。

胡桃木小姐决定，就当这是乌鸦克洛要求她学会的一个游戏。

胡桃木小姐拉住了树枝，开心地来回摇了一会儿，然后跳上了另一根远一些的树枝。

“就这样，非常好，继续！”乌鸦克洛大声地说，“继续向上爬！”

于是，胡桃木小姐一会儿摇摆一下，一会儿跳一下，慢慢爬了上去。她觉得非常刺激，因为每一步都要自己鼓足了勇气……

胡桃木小姐不停地爬着，直到她觉得往下看头会发晕。最后，胡桃木小姐爬上了苹果树，她可以看到坦普尔山正守护着的西面。

“还有多远呀？”胡桃木小姐问乌鸦克洛。

“你终于上来啦！”乌鸦克洛就在胡桃木小姐边上高一些的枝丫上回答她，“现在小心一点，放松一点。怎么样，亲爱的姑娘，你觉得把这里当你的新家怎么样？”

胡桃木小姐吃惊地看着乌鸦克洛指的地方，在苹果树的一根枝丫那儿，有一个又大又深的鸟窝，刚好被枝丫保护着。

乌鸦克洛知道，第一眼看到这个窝，胡桃木小姐肯定会觉得不合适，于是他开始发表见解，就像一个专业的房地产中介那样。

“不管太阳怎么晒，也照不到这个窝的，也不热，并且还可以长期租住。虽然是知更鸟罗宾建了这个窝，当然是给他自己住的，他还打算在这个冬天留在这里，不过威拉德布朗先生把他赶走了。”

“这些钩子可以挂衣服，知更鸟罗宾建造的时候有点粗心，所以有些枝条伸了出来。不过，已经抹上质量不错的淤泥了，这样可以非常好地保暖！”

乌鸦克洛的推销还没有停下来，可是胡桃木小姐根本没有听进去，直到他提到了威拉德布朗先生。

胡桃木小姐决定，以后再也不许猫——威拉德布朗先生——把她赶出家。

胡桃木小姐在树干上站稳了，悄悄地检查了一下这个空窝。

它的位置真的非常好，看起来也十分牢固。她盯着里面，看见风已经把这个空窝刮到树槽里，安稳地陷在里面，连着玫瑰棕色的橡树叶。

胡桃木小姐走进那个鸟窝，躺了进去，美滋滋地享受

着里面的温暖。

“还挺不错的，乌鸦克洛！”胡桃木小姐承认。

“最吸引我的就是这个窝了！”乌鸦克洛说。

这个窝刚刚好与胡桃木小姐的体型相称，她站起来的时候，必须伸出手把自己拉出去。

她刚好能够躺下去，就像现在这样。她现在感觉好累，躺在这里感觉非常温暖，非常舒适，而且也不会被发现。

胡桃木小姐在这个世界上已经非常孤独了，也没什么值得回忆的了。

胡桃木小姐对乌鸦克洛说：“我都不知道这个冬天我在这里能干点什么，手头也没有扫帚。”

“你会找到很多可以做的，”乌鸦克洛告诉她，“你需要收集新的东西，结交新朋友，开发新地盘。好吧，我该离开了！”

“我真的好感激你，乌鸦克洛！”当乌鸦克洛打开翅膀的时候，胡桃木小姐靠在鸟窝边上对他说。

“千万别这么说。”乌鸦克洛说。

“春天还有多远？”胡桃木小姐小心地问道，“他们把欧得农夫的挂历带到休斯敦去了！”

“没关系的，”乌鸦克洛向她保证，“春天肯定会来的。记住这一点，亲爱的姑娘。这点真的非常重要！你需要用这个想法装满你的脑袋，让你体内的树液一直流淌！”

乌鸦克洛说完，展开了翅膀，叫喊了一声，开始飞起来。胡桃木小姐看着乌鸦克洛穿过欧得，穿过谷仓，穿过树林，然后飞向南方，直到最后消失不见了……

第四章

活的坚果

松鼠很早就开始劝说自己现在正是准备过冬的最佳时机。

可是，松鼠在整个秋天做的所有事，就是能拖一天是一天。

当然，这也不能全怪松鼠，全都因为这秋高气爽的好天气在作怪，弄得他心情非常舒畅，根本就没办法让自己专心做事。

松鼠非常喜欢穿梭在森林中，听着落叶发出的沙沙声，他的又小又尖的耳朵听到这些声音，就感觉那是一首首舞曲萦绕在周围。

他更喜欢跳上最高的那根树枝，接着在另一端站住，然后快乐地旋转一下，再跳到另一棵树上。做完了这些，他就会坐在石壁上，晒着太阳，一边抚摸一边欣赏自己美丽的尾巴。

这就是松鼠在十月底每天所做的事情：坐在石头上，温暖的阳光晒在背上，美丽的尾巴高高地向上翘起，像一根羽毛。

不过，这个时候，松鼠突然发现了一颗花生。

这颗花生本来是放在石壁上留给金花鼠的，不过金花鼠现在正在丁香丛下的玉米棒屋子里享受着生活。当然，这间屋子原本是胡桃木小姐的。

有地方住，这样的感觉让金花鼠满意极了！

现在，松鼠正用爪子紧紧地抓着这颗花生，闻了闻后，就开始来回地滚动这颗花生。

“这个刚好可以拿来当我过冬时候的周日晚宴，”他想着，“我要马上把它埋了！”

主意刚刚想出来，花生就滚开了。

“皮太薄了。”松鼠说，“估计一直等到春天，我也找不到第二颗花生了！”刚说完，他就剥开了花生，把它吞到了肚子里。

松鼠津津有味地吃完了，心里又开始斗争起来。

“其实，我早就应该准备过冬的食物了！”正说着，松鼠又轻轻松松地跳进了树林，又发现了一颗熟透了的山毛榉坚果。

反正已经饱了，所以松鼠就在山毛榉边上挖了个坑，把坚果埋到了里面。

做完这件事后，松鼠对自己的表现非常满意，伴随着落叶，他跳起轻快的舞蹈来。

可是没跑出多远，他又觉得饿了。

“对于一个像我这样活跃的年轻男子来说，一颗花生根本填不饱我的肚子，”他开始自言自语，“我应该把山毛榉坚果也挖出来当小点心吃！”

于是，松鼠沿着自己的脚印返了回来，走到山毛榉边上，迅速地挖开地面。

可是都挖得很深了，还是不见坚果的影子。其实这片林子里有非常多的山毛榉，所有的山毛榉长得都一样，松鼠已经忘记哪棵树下面埋了他的坚果了。

“记性真是太差劲了，”他对自己说，“我还是应该再试一次！”

没过多久，松鼠又找到了食物，这回是一颗饱满的橡子，肉多，是过冬的好食物。

他又挖了洞，非常深，靠近一棵橡树。埋好了以后，这次他学乖了，为了下次能够找着它，他在边上放了一根红色的藤蔓。

然后松鼠又跑开了，他爬上树，摇着他美丽的尾巴，对自己的表现十分满意。

动了几下后，松鼠觉得自己又有食欲了。过了将近一小时之后，他又饿了。

“那颗变味的花生不是我的美餐，”他对自己反复地说道，“我需要的是一颗大橡子，肉多，而且富含丰富的维生素！”

于是，松鼠回到了那棵橡树边上，红色的藤蔓正放在橡树根的旁边。他挖啊挖，挖完一棵，挖另一棵，挖完这边，挖那边。

一会儿这边，一会儿那边。唉，树林里怎么所有的橡树都有红色的藤蔓围绕在地上啊！

总之，松鼠又一次忘记了他埋的过冬坚果放在哪里了……

胡桃木小姐在知更鸟罗宾的鸟窝安顿下来后，她的第一个想法是做新衣服。

尽管胡桃木小姐的嫩枝身体跟坚果脑袋不是非常灵活，但是女孩子的天性在她的身体里还是非常活跃的。而且她也知道，蓝白相间的棉质连衣裙配上带褶皱花边的白色帽子在冬天也不太适合。

搬了家后，胡桃木小姐又有了一个新发现——她发现自己其实也不是太依赖储存的食物，至少没有以前住在玉米棒屋子里的时候那样依赖。

胡桃木小姐在鸟窝的每个角落都放了蔷薇果、蔓虎刺浆果，还有鹿蹄草浆果。

胡桃木小姐重新整理了知更鸟罗宾家的墙面，这样她就可以把东西挂在棍子上，而且她自己学会了怎样用松针缝东西。

树林里有好多东西可以做缝纫，比如：还没干枯的叶子可以当成布料；玫瑰花有各种颜色，有金黄色的，鲜红色的，还有褐色的；还有各式各样的苔藓，柔软又漂亮，长在靠近地面的地方，有毛的，带尾巴的，笔直的，而且所有的苔藓都不褪色，颜色碧绿；落叶松上摘的棕色小球果正好可以当成纽扣；还有蕨类叶子的里子可以做成过冬的内衣……

胡桃木小姐就这样一个人待在树林里，忙碌而又快乐：有时她挑选材料，有时她就坐在伞菌上做针线活。

胡桃木小姐给自己设计的冬天衣物都非常适合她自己，并且还非常实用。

胡桃木小姐的穿着和打扮看起来和树林是那么相称，以至于她在常青树边、在落叶旁走过的时候，几乎没被人注意到。

这也是为什么松鼠没发现她的原因。

这时候的松鼠正在犯迷糊，因为他已经完全忘记了他把坚果到底埋在哪里了。

他自言自语地说："怪异，这个词的含义太宽泛了！"

松鼠大声地说："这简直就是用来形容我的嘛！"

"我也发现了！"

松鼠吓得跳了起来。

这个声音非常尖，像是上了年纪的。

可是当松鼠最后鼓足勇气看向声音发出来的方向时，他却发现一个小人儿——胡桃木小姐——正坐在伞菌上面，套着树皮鞋子，晃动着双脚，衣着非常鲜艳，好像要去参加一场晚会。

胡桃木小姐看上去一点烦恼也没有，从她的装束来看，她非常年轻。

不过，胡桃木小姐的鼻子看起来非常尖，黑色的眼睛气势汹汹的。

胡桃木小姐的连衣裙是山毛榉的叶子做的，是一条蛋糕裙。外套是短小的蕨类植物做的，又厚又保暖，上面有小球果做的纽扣，葡萄松做的花边。还有一顶合适的帽子——虽然与没有帽檐的帽子差不多，但是非常灵巧，和她的绿色外套搭配得非常好。帽子上装饰着一束红色的赤杨浆果和蕨类羽毛。

她还给自己做了个手提包，圆鼓鼓的，是用鲜红的枫叶做的，手提包的带子是用蕨类植物做成的。

她看起来比实际年龄小了好几岁，松鼠觉得她非常可爱。

“你好呀，小可爱！”松鼠向胡桃木小姐打招呼。

“请注意你的礼貌，小伙子！”胡桃木小姐警告他，“我注意你很久了，别指望我接受你没脑子的行为，你看起来记性很差！”

“对极了！我就是像一个被宠坏的小孩。”松鼠伤心地说，“作为独生子女的我，本来得到了所有我想要的坚果，现在也没了。唉，我还是个不够坚强的孩子！”

说完，松鼠假装掉了一滴眼泪，用灰色的爪子擦了擦眼睛。

一听到坚果，胡桃木小姐就开始慌了。她把帽子往下拉了拉，遮住她的脑袋。她从伞菌上下来，走进了长满毒刺的灌木丛中。

“全都是借口！都是瞎说！”胡桃木小姐尖声叫道，“你生长在一个大家庭，我都知道，因为我是看着你长大的。你妈妈教你怎么藏坚果……”

胡桃木小姐突然不再说下去了，用手提包遮住了自己的嘴巴。坚果，她不应该说这个词的！

松鼠竖起了耳朵，他走近胡桃木小姐，眼睛盯着她的脸。

胡桃木小姐想避开他，但是她的头不能转动。

松鼠在她身上闻了闻，顽皮地敲了敲她的鼻子。

“是坚果！你就是这么看我的吗？”松鼠颤抖着问，“那你呢？你的脑袋从哪儿来的？”

胡桃木小姐转身匆忙走开，但是松鼠紧紧地跟着她。她本来已经跑得非常快了，但是松鼠只要稍稍跳一下，距离就非常远。松鼠跳过残枝枯叶，跃过石块，出了树林，过了漆树林，还是追上了胡桃木小姐。

胡桃木小姐跑上了石壁，到了果园，但是松鼠已经跳过了石壁，正在另一边等着她。

追到了麦金托什路，松鼠咧嘴笑了，露出他雪白又锋利的牙齿。不过奇怪的是，他碰都没碰胡桃木小姐。其实，松鼠想要的只是一场赛跑罢了。

爬上了苹果树，胡桃木小姐一头倒在了她的鸟窝里，她十分害怕地紧盯着边上，松鼠就在下面。

“胡桃木，胡桃木小姐，是我的名字！”她大声地对松鼠喊道，想尝试着把松鼠吓跑，也希望松鼠知道她不是故意说漏了嘴的。

“正像我看到你的脸时想到的！”松鼠回答说，“这场赛跑不错吧，是不是呀？这可不像有些动物那么慢，一大清早就开始赶路，穿过一整个村庄，为的就是赶一顿晚饭。”

“回家！”胡桃木小姐喘着气说。

“是啊，是的，太巧了，胡桃木小姐，”松鼠继续唠叨，“我的洞也在这边，就在你的树脚下。我母亲留下了遗嘱，把这块地方留给我了！”

第五章

做件好事

母鸡菲摄特太太和胡桃木小姐一起走出松树灌木丛。

她们肩并肩地穿过果园，拐进了一块叫作“高草坪”的地方，穿过欧得，走向一块杂草丛生的土地，那里长满了蓝莓。

“菲摄特先生出去做生意了吗？”胡桃木小姐问道，“我早些时候看到菲摄特先生经过了这条路的。”

菲摄特太太，一只土褐色的母鸡，没有鲜艳的羽毛也没有活力，只会咯咯地叫唤着。

“现在是十一月份，菲摄特先生离开了我，”她告诉胡桃木小姐，“他搬到了灌木丛的另一头，他根本不让我吃早饭。”

“是习俗吗？”胡桃木小姐好奇地问道。

胡桃木小姐看着菲摄特太太，心想在这里再也不可能见到像菲摄特先生那样没有魅力的生物了，走路的时候总是那么随随便便的，尾巴上的羽毛还像彩带一样。

“去年秋天，他也是这样离开我的，”菲摄特太太气愤地说，“他最近这段时间老是不太在意我。每个早上，当我走在他的后面时，必须要隔上一小段路，以表示我对他的尊敬；当我们去食物区的时候，他转头就啄我，又把我赶回了家。”

“真是太残忍了！一点绅士风度都没有！”胡桃木小姐气得直跺脚，“你是怎么回应他的呢，菲摄特太太？”

“我不做任何回应！”菲摄特太太非常失望地回答。

好像没什么可说的，所以她们两个谁都没说话，肩并肩向前走着……

胡桃木小姐呢，自从发现松鼠就住在麦金托什路上的鸟窝下，她就尽量不回到那个新家了。

不过松鼠也没有骚扰她。

但是胡桃木小姐这么珍惜她的脑袋，她可不愿意冒任何险。

一天晚上，当胡桃木小姐挂好了帽子，脱去衣服，躺进柔软的小床盖好被子后，就发现有一对发光的眼睛正盯着她，她吓坏了。

松鼠上来了，正盯着胡桃木小姐的鸟窝看呢，但他没有再靠近。

“因为是邻居，所以才上来看看，”松鼠颤抖着说，“祝你做个好梦！”然后他离开了。

胡桃木小姐戴上了帽子，把帽子拉低拉紧。

她一夜没合眼。自从那晚以后，她每次睡觉都戴着帽子。

十一月份，也就是现在，胡桃木小姐每次都会从树上下来，到处闲逛，享受着秋日的落叶。

各种颜色的落叶包围着胡桃木小姐，躺在她的脚边，陪伴着她。

它们铺成了一条条地毯盖着整座山，有褐色的，有金色的，还有深红色的。

胡桃木小姐每天都能看到不一样的山。山里有火焰般燃烧的枫叶和闪着玫瑰色光芒的橡树。

胡桃木小姐从来没觉得冷，她体内的树液顺畅地流淌着。

胡桃木小姐觉得像菲摄特太太那样，在一年中这么美好的时光里还哀怜自己，实在是太傻了。

想到这，菲摄特太太正好悄悄地走了过来，低着头。

胡桃木小姐下定决心要让她活跃起来。

“如果我是你，菲摄特太太，我不会允许这样的事情发生，”胡桃木小姐责怪道，“我会教菲摄特先生成为一名真正的绅士！”

“那该怎么做?”菲摄特太太小声地问，“这是公鸡们的习惯。有几年，在秋天，公鸡是允许我们母鸡同他们一起吃早饭的，但是有时候又不行。你难道是学校的老师吗?”她非常好奇。

“我是准备明年春天接管一所学校。”不过这个主意才刚刚钻进了胡桃木小姐的脑袋。

菲摄特太太说：“你是有头脑的人，或许你可以给我点建议。”

事实上，胡桃木小姐还没有想出教菲摄特先生成为绅士的办法。

不过这个时候，事情好像有了转机。

她们突然来到了冬鸟们过冬的鸟棚，就在高草坪和蓝莓牧场之间。

不管是谁，只要不了解，看到这样的情景都会说割草的是个非常马虎的家伙。

实际上，割草的家伙还是非常善良的，因为他留下了石壁边上的杂草。

杂草一长高，就可以跟石壁一起成为一道天然的防风墙。那里还剩下一些玉米穗，可以采来当食物。

这个地方实在是太好了，可以给小母鸡当个临时的窝过完这个冬天，总比原来那个糟糕的矮树丛要好得多！

胡桃木小姐兴奋地拍了下手。

“快看，菲摄特太太，”胡桃木小姐尖叫着，“有些事还是被我说中了！”

菲摄特太太慢慢地走进了鸟棚，啄了些玉米粒。但是她灰色的小脑袋还是耷拉着，羽毛松乱，无精打采的。胡桃木小姐都快没了耐性。

“抬起你的头，菲摄特太太！你现在在一个鸟棚里，脚边有种子、玉米，而你却还是垂头丧气的。我说，抬起你的头，然后要心存感激！”

“我肯定不能待在这里的，”菲摄特太太叹了口气说道，她的头更加低了，“菲摄特先生肯定会把我赶出这个地方的！”

这也正是胡桃木小姐所担心的。

胡桃木小姐好像已经看到了菲摄特先生走过来，跳过雪堆，羽毛映着白雪，发出金色的光芒。

他肯定会冲到石壁边上的鸟棚，身上插着玉米的秸秆和杂草，赶走母鸡，自己搬进来。这种情况实在是太令人失望了。

胡桃木小姐想得头都疼了，她不知不觉就走在了前头。

“菲摄特太太，”她终于开口了，“还有其他母鸡的情形跟你一样吗？”

“所有的母鸡都一样！所有的公鸡一到冬天都不跟我们一起住，都搬到了矮树丛的另一边，那里有个俱乐部，他们就住在那里。”

“那么，”胡桃木小姐告诉她，“你们也应该这么做。你们应该都搬到这里来，大家一起舒服快乐地过冬。只要你们敢站出来，任何一只公鸡都不敢把你们赶出去，你们应该成立一个女子互助社！”

“怎么做？我不太明白你的意思。”虽然菲摄特太太这么说，但是她抬起了她并不灵活的小眼睛，看着胡桃木小姐亮晶晶的双眼。

“非常简单！每年秋天，西耳丝伯乐女子互助社第一件要做的事情就是做一床被子。她们把所有带颜色的布料，不管是色彩鲜艳的还是朴素的，都收集到一起，然后大家把各自的布料都缝起来。每周她们都会在镇大厅集中一次，把各自缝好的布料缝到一起，做成色彩斑斓的大被面。她们再加进衬里，填上芯子，然后挂在支架上缝紧，就做好了一床被子。到了来年春天，她们就会在教堂义卖市场上卖掉这床被子。但是你，菲摄特太太，你可以先保存着自己的布料，这个冬天先用着。”

母鸡菲摄特太太的脑袋本来就转得慢，现在已经完全晕了，她没听懂胡桃木小姐说的每句话、每个字。

“做被子！缝布料！女子互助！什么?”菲摄特太太嘟囔了几句。

“是的！”胡桃木小姐匆忙地跑到树林的尽头，消失了好一会儿。

等她回来的时候，她带回了锋利的绿松针和四根又直又细的树枝做支架。

然后她又采了四片好看的落叶：一片褐色的橡树叶，一片黄色的山毛榉叶，一片红色的枫树叶，一片金色的漆树叶。

在菲摄特太太面前，她把这些落叶拼在一起，然后教她怎么用松针和晒干的草把这些落叶缝到一起。

菲摄特太太听了之后非常高兴。她一只爪子握着松针，把落叶一针一针地缝起来。她好像天生就是个做针线活的能手。

“抬头看看那座山，”胡桃木小姐说，“把它的图案缝到被子上，你的被子到时候肯定是独一无二的了！女子互助社的姑娘都是在屋子里缝制被子。当然，她们做的被子上面也有彩色的山的图案，不过她们的图案样式就只那么几种。”

菲摄特太太抬头看着沐浴在阳光中的坦普尔山脉，闪耀着秋色的光芒。

山脚下环绕着深红色的漆树，山顶上挺立着苍翠的松树，而在它们之间，生机勃勃的橡树和枫树层层相叠。她从来没有这么仔细地看过这座山，之前，每当树叶的颜色开始变化的时候，她就开始为自己悲惨的遭遇唉声叹气了。而现在，只是稍稍看了一眼，她就觉得快乐。

“现在，”胡桃木小姐继续开心地工作，“这个是你做被子的支架。”她找了些牢固的牧草把四根树枝绑成一个正方形的支架。

“当你缝好了几小块，就缝在一起做成一条被子，然后再把被子绑在这个支架上，上上下下、前前后后都缝紧，这就是缝被子的全过程。哦，我忘记告诉你了，女子互助社做的另外一件事情就是吃东西。每次她们聚在镇大厅缝被子的时候，她们都会好好地大吃一顿……”

不过菲摄特太太根本没听进去什么。她已经啄到了一小堆的玉米粒，哼着轻快的小曲儿，一针针地缝着叶子，还时不时啄了一两颗玉米粒。

胡桃木小姐悄悄地离开的时候，菲摄特太太都没发现。

“她现在还不错，整个冬天都会非常安全。我会到矮树丛那边去，告诉其他的母鸡，也许她们也愿意加入菲摄特太太的行列，到时候我会向她们解释什么是女子互助社！”

胡桃木小姐心情愉快地向树林走去，感觉自己简直太棒了。

第六章
谷仓消息

母牛离开谷仓已经一整天了，威拉德布朗先生非常担心她。也不是因为她。唉，也不是！他这么关心母牛是有所打算的，不过就是想念每天的温热的牛奶罢了。

当威拉德布朗先生坐在谷仓的一个老鼠洞边上的时候，他出神了。他记得去年夏天也有那么一天，母牛出走了，那次她可是出走了整整一天一夜。

夏天里的一天，几乎每个人都想离开谷仓。那时，三条小溪穿过欧得所有的耕地，渐渐流到了池塘，池塘里的水哗哗地流淌着，这是大家都知道的事情。

小玉米都抽出了穗。小鸟们都在高草坪上展开稚嫩的翅膀，急切地想尝试尝试。

母牛好像没曾留意过大自然的美丽，但是那一天，好像有一种神奇的力量在召唤她离开隔栏，离开挤奶桶。

母牛慢慢地跨过谷仓的门槛，迈着沉重的脚步一步一步向前走，过了高草坪，然后沿着第一条溪水走进了树林。

母牛大口大口地喝着清甜又凉爽的溪水。然后，在桦树林那里的铺着厚厚的苔藓的地上，她躺了下来。

这样的时光对于母牛来说真是太宝贵了，她从来都不允许自己这么做。但在这个隐蔽的小树林里，她就这么歇着，让大地温暖着她那个巨大的心房。

第二天一大早，威拉德布朗先生真的是渴坏了，他决定去找母牛。谷仓里没有任何人像他这样关心母牛，所以他是独自一个人出发的。

威拉德布朗先生跑上了高高的爱刻地，沿着高草坪的石壁，然后，幻想自己的鼻子可以嗅到牛奶的味道。他就凭着自己的嗅觉往树林里走。

就在桦树林那儿，威拉德布朗先生找到了母牛，她正在柔软的苔藓上休息呢。

但是母牛并不孤单，她棕褐色的大肚子两边各躺着一头小母牛。

母牛左看看，右看看，眼神中满是怜爱。她用舌头舔舔边上的小女儿，又舔了舔另外一个。

两头新生的小母牛！威拉德布朗先生愣住了——双胞胎啊！这可太神奇了！在希尔斯伯勒，还从来没有哪头母牛生过双胞胎呢！

威拉德布朗先生看着这对双胞胎小母牛。她们带点浑浊的棕褐色眼睛跟母牛的一模一样：眼睛大大的，瞳仁是浅褐色的，越看越像是跟母牛一个模子刻出来的。

威拉德布朗先生看得出了神，突然发现三双眼睛都正盯着他。

母牛笨拙地站起来，而那两头小母牛呢，突然发现她们细细的小腿也能支撑住她们的体重后，也慢慢地跟着站起来，靠在她们妈妈的身上。

“走这边！”威拉德布朗先生指引着她们，微微摇晃着他那长长的尾巴。他兴奋不已，连尾巴尖上那一撮白毛都在传达激动之情。

威拉德布朗先生领着母牛和她的双胞胎小牛，走出树林，走向谷仓……

现在，已经是十一月份了，双胞胎小牛已经可以自己照顾自己了。她们的大眼睛又黑又亮，好像第三条溪水上漂浮着的褐色的橡树叶。带斑点的皮毛还非常柔软，不过身上的毛已经渐渐浓密了，完全可以抵御冬天的寒冷。她们的小细腿也慢慢强壮起来。

不过这对双胞胎却和大家想象的一点也不一样，连母牛都没想到，她们除了长相相似以外，性格脾气没一点相似的地方。在行为举止上，或在喜好上，她们根本就不像是一对姐妹。

小母牛班非常恋家，也非常稳重，而且十分有礼貌。她知道她是一头属于谷仓的小母牛，谷仓的前院就是她家的前院，所以她觉得晚上准时回来吃晚饭才是好孩子。在该睡觉的时候，你总能在牛棚里的稻草堆上找到她。早上一听到母鸡咕咕的叫声，她就起床了。

不过，她的妹妹可不是这样的！完全不是！

小母牛王尔德身上流淌着森林的血液，谷仓压得她喘不过气来。

被绑在谷仓前院的时候，小母牛王尔德会挣脱绳子，然后逃走，尽管身上还拖着木桩和绳子。

小母牛王尔德经常忘记回家吃晚饭，只吃些地里留下的残枝落叶和落穗，不过她看起来还是非常壮实。

有时候，小母牛王尔德还整晚不回家。

有一天，小母牛王尔德突然不见了，急得威拉德布朗先生没办法，只好离开日夜守候的老鼠洞，轻手轻脚地走出谷仓。

威拉德布朗先生原本打算开了大门，自己躲在门后面，守着小母牛王尔德回来。

这时母牛从外面回来了，本来还打算跟母牛闲聊一会儿的威拉德布朗先生愣住了。

威拉德布朗先生，这个早已习惯了农村生活，一个不会大惊小怪的人，当他看到母牛回来的时候，他觉得脖子上的毛都一根根竖了起来，连尾巴都胀大了。

自从生了双胞胎小牛以后，母牛一直觉得自己是了不起的人物，她认为她没必要产那么多的牛奶了。

母牛和她两个女儿的照片，早已印刷在希尔斯伯勒的报纸上家喻报晓了。

母牛也以为现在是生活该带给她快乐的时候了。

母牛还想过，她应该好好休息了，所以她开心舒服地躺在了月桂丛上……

而就在那天，母牛就是这么做的。

母牛在月桂丛中休息，吃着风吹落的苹果，旁边还堆放着非常多的苹果。因为这里刚好是坦普尔山的背风处，有很多果实都被吹到了这里。

不过在这之前，有一次，母牛闲逛完的时候，她来到了蔬菜园，把一整个南瓜给吃了。其实就是个小青南瓜，绿色的外壳，非常硬，里面是满满的黄色的瓤儿，她连壳都吃掉了。

可是现在，母牛突然闻到了烂苹果的气味，臭味把她熏得实在受不了了。

母牛从月桂丛中艰难地爬了起来，跌跌撞撞地往家里走……

威拉德布朗先生看到母牛的样子，连尾巴都胀大了起来。这是有充分的理由的。

因为母牛失了体面——她不是走回来的，她几乎是跳着快步舞回来的，看起来好像是在跳非常糟糕的踢踏舞，从路的一头跳到了另一头，过了高草坪，最后终于走进了谷仓前院的大门。

母牛觉得这一天简直太成功了。她欢呼雀跃地跳着，嘴里还时不时地发出“哞哞”的叫声，以表示自己的满足之情。

现在可以得知小母牛王尔德的疯疯癫癫是从哪里遗传来的了，威拉德布朗先生无奈地想。

威拉德布朗先生跑到门外，告诉母牛门口那边有个木桩。

母牛跨过去了，不过还是被木桩绊倒了。

如果母牛刚才聪明一点的话，没有吃那么多的苹果该多好啊！

跟平常吃多了的情况差不多，母牛的胃疼坏了，“哞哞”的叫声也从原来的表达满足变成了呼救。

威拉德布朗先生拼命地叫着，去找农夫帮忙去了。母牛需要吃药才行，而且他以前看过母牛吃药的样子，太麻烦了。

如果母牛能跟马和羊一样把药吞下去，那么肯定非常容易地就吃下去了。但是牛可是会反刍的，吃东西的时候会嚼很久，消化系统又跟其他动物不一样，所以她吞东西的时候总是和其他动物不同。她每次总是身体一侧靠在牛棚，蹄子立在地上。靠着牛棚既不舒服也不体面，但是没办法，她只有这样才能把药吃进去。

当农夫提着瓶子走向谷仓的时候，威拉德布朗先生做了个决定，他要找胡桃木小姐来看看这个情景。

尽管威拉德布朗先生已经听说胡桃木小姐住在哪里了，但一直没来得及去拜访她。

威拉德布朗先生还记得胡桃木小姐没搬走之前的严厉评论。

不过，威拉德布朗先生是个男子汉，才不在乎这点伤害呢。

于是，威拉德布朗先生开始向果园出发，沿着麦金托什路，爬上了胡桃木小姐新家所在的那棵树。

胡桃木小姐早早就上床睡觉了。

胡桃木小姐就喜欢这样躺着，又温暖又舒服，还可以看着余晖慢慢地给山坡上的叶子披上一件宝石般华丽的外衣。

天气寒冷，万里无云，天空不时还出现了苹果绿的色彩，太阳慢慢地下山了。

一到这个时候，胡桃木小姐就会把帽子摘下来，然后做个祷告，保佑她下次醒来的时候脑袋还在脖子上……

当胡桃木小姐看到威拉德布朗先生的眼睛时，她真的吓了一跳。

因为威拉德布朗先生的眼睛好像一对船上的信号灯，正盯着她的鸟窝。

“跟我到谷仓去，胡桃木小姐，” 威拉德布朗先生说，“母牛待会儿会被喂药，因为她胃疼。”

“这就是你想要说的吗？拜托，你能不能不要找这么没有意义的理由来打扰我做美梦！你到底想要干什么啊，提彼？”

“只是想给你找点乐事，”威拉德布朗先生情绪显得非常低落地说道，“如果你不来的话，胡桃木小姐，你肯定会失望的。你过去看看，肯定没坏处！”说完，他爬下了树，嗓子发出的咕噜声回荡在枝丫间。

“你肯定还没听说谷仓的消息，母牛的双胞胎女儿中的一个学坏了，离家出走了。你也要小心一点，胡桃木小姐！小母牛王尔德经常在果园里活动，她非常有可能把你当作长着红莓的小树丛给吃了。你想要被吃掉吗，胡桃木小姐？”

威拉德布朗先生觉得，他的反击还不错，然后他用最快的速度跑了。

但是胡桃木小姐一动也没动，半点反应都没有……

第七章
小鹿逃跑

小鹿宝宝学的第一堂课就是认识地形。

多依，也就是小鹿宝宝的妈妈，她教会了小鹿宝宝怎样识别地形。

小鹿宝宝很少见到他的爸爸，那个头顶上有一对大角的家伙。

不过妈妈多依总是在他的身边，从太阳升起一直到太阳下山的一整天里。

小鹿宝宝睡在一个废弃的地下洞穴里，也就是他们的家里，躺在妈妈的身边。靠在妈妈柔软的褐色皮毛上，他觉得非常温暖。

小鹿宝宝是在这个季节刚出生的，是只花斑鹿，蹄子小巧可爱，眼睛是浅褐色的。

他还经常眼含泪水，只要妈妈多依把他单独留在草丛或者灌木丛里。

比如有一次，妈妈想让他单独待一会儿，所以就跑开了，其实她只是想教他怎么照顾自己。

那个地下洞穴，曾经也被人类当过住所，但是现在已经荒废了有一段时间了。

后来森林里没有一个居民发现这个洞穴。这里已长了好多野生荆棘和漆树，以前还只是树苗的桦树已经长得又高又大，环绕着整个洞穴，被风吹弯了的桦树，成了天然的屋檐。

但是这个地下洞穴还能清晰地记得，在这里原来有一个砖头砌的壁炉，上面有一口锅，锅里正炖着豆子，一个母亲正一边摇着摇篮，还一边织着衣服。地下洞穴还记得那台手纺车、那个雪橇铃铛、滚烫又美味的甜甜圈、香甜的曲奇饼干、钓鱼的工具、手枪、歌唱的稚嫩声、朗读《圣经》的声音，还有困苦和欢笑，厚厚的积雪和白色的丁香花儿……

可是现在呢，除了遥远的回忆，什么也没有了。

黑色的赤杨木、松树和铁杉形成的灌木丛把以前的生活都关闭了，等待着有人再次打开它……

当鹿妈妈多依要找一个安全的地方给不懂事的小鹿宝宝的时候，这个地下洞穴看起来就非常适合。

这里根本没有人走过的痕迹，只有隔得非常远的地方才有一条路通向有人烟的地方。

花岗岩上爬满了地衣和苔藓，这是唯一能够认出来的标志。

躺在地下洞穴里，鹿妈妈多依热切又温柔地舔着小鹿宝宝，松林间传来的风声就像催眠曲一样，把小鹿宝宝带入了甜美的梦乡……

“路的源头在东边，”鹿妈妈多依告诉小鹿宝宝，“明年春天，你的双腿就能跑得更快了，那时，你就可以去东边探险。那里会有好多好多花园：里面长着豌豆呀蚕豆呀什么的，你就可以采来吃；那里还长着小小的果树，它们的树皮都非常鲜美多汁；地上还有非常多的梨和浆果，以及蔷薇花蕾，这些你都可以拿来当甜点吃。有一次，我从一个厨房的窗户望进去，我看到了桌子上摆着南瓜饼，但是对你来说，你暂时不能冒这个险。东边就是太阳升起的地方，当你跑向东边的时候，你要记住，你的蹄印很容易被发现！”

然后，鹿妈妈多依又开始讲关于西边的事情。

“那条回家的路向着树林，也向着太阳下山的地方，就是西边。北面，我们会穿过谷仓，向着高地，那边就非常靠近树林了。”

“在那些墙壁围着的地方，有很多没人管的老苹果树。在路的另一头是个果园，香甜的苹果布满了整座小山。千万不要去果园！”鹿妈妈多依发出了警告。

“也不要往南跑！”鹿妈妈多依建议道，“我们的家族从来不会那样做的，只有鸟儿才会在冬天往南飞。”

“北方……”鹿妈妈多依抬起了她又黑又亮的大眼睛，陷入了回忆中。

“你的爸爸就来自北方，一个北方的森林，他蹚过山上大大小小的河流，最后来到了我跟前，尾巴上还拖着伊乐藻，鹿角上挂着葡萄藤。他同鹿群一起来的，来这边过冬。其他的鹿都上山了，只有你爸爸留了下来，留在这个山谷里来陪我……”

“那他现在在哪里呢？”小鹿宝宝一边问妈妈，一边想要甩掉蹄子上的泥巴。

“自从打猎季节开始以后，我就再也没有见过你爸爸了。听着！记住我的话！在有积雪之前，一定要待在离家近的地方。如果你听到非常大声的响动，或者树丛里噼里啪啦的声音……”

但是小鹿宝宝却再没有耐心听妈妈的说教了。

小鹿宝宝伸着鼻尖，想要把森林里飘来的香气抓住。

小鹿宝宝做了个预备动作，姿势就好像小鸟要准备打架一样，然后一下子就跑开了，动作非常轻盈，显得十分无忧无虑。

地上有些积雪，小鹿宝宝跑在上面，留下了一串串的小蹄印儿。

小鹿宝宝迈开步子跳得远远的，这下子蹄印就离原来的远远的了。

就这样，一边跑，一边跳，小鹿宝宝一下子就离地下洞穴远远的。

小鹿宝宝的毛皮是黄褐色的，略带一些小斑点，黄色的身影在白雪的映衬下好像是树林移动的影子，所以就不容易分辨得出来。

小鹿宝宝这么年轻，活力十足，好像冒险是他唯一感兴趣的事情。

“去东边！”小鹿宝宝想，“我要透过那个窗户，看看厨房里到底有什么。”

小鹿宝宝飞快地跑出了森林，跃过石壁，褐色的树枝差点勾到了他。

不过小鹿宝宝非常快就穿过了爱刻地，把谷仓也远远地甩在了后头，最后他终于来到了欧得的花园。

四周静悄悄的，地上的雪花也没有被踩过的痕迹。

小鹿宝宝小心谨慎地踏上了后门的台阶，前蹄搭在窗台上，试着往里面看。

哎呀，窗帘全都遮住了。他本来以为可以看到一些东西的，现在连个馅饼都没看到。

突然，房子后面的丁香丛那边传来了沙沙声，小鹿宝宝吓了一大跳。

他看到丁香丛下面有一所小房子，用玉米棒做的，不过看起来已经废弃了，烟囱上没冒烟，窗户上还积压了点雪。

小鹿宝宝鼓起勇气靠近这所房子，小心地闻了闻。

不过，一张尖尖的小红脸钻了出来，出现在门口，然后又出现了格子外衣，最后是猛烈晃动的尾巴。

金花鼠大声地重复道：“入侵者不要进来！入侵者不要进来！”

小鹿宝宝吓得小心脏怦怦直跳，飞快地跑开了，向果园的方向跑去。

小鹿宝宝在果园里找到了美味的根茎和树皮。

小鹿宝宝用鼻子拱了拱地上的雪，扒开了厚厚的草皮和落叶，湿润的地面就露了出来，那里长着好多浆果和美味多汁的葡萄藤叶。

小鹿宝宝一边享受着美食，一边嗅着肥沃的土地，抬头感受着星星点点的雪花，他顿时觉得既安全又快乐，四肢又一次充满了力量。

小鹿宝宝的脑袋时不时会有点痒，好像头上的角就要长出来了。他想，他可以跟妈妈说他现在长得非常快，所以他可以一个人跑出来，当然，晚上他还是会回到妈妈身边的。

砰！安静的四周突然被恐怖打破了。

是枪声！小鹿宝宝以前听过枪声。

小鹿宝宝突然明白了他自己是一个人，于是慌慌张张地一下子跳到这边，一下子跳到那边，又努力地回想回家的路。

小鹿宝宝跳出了果园，穿过大路，站在爱刻地上，想知道西边是在哪里。但是他站在光溜溜的地面上，分不清东西南北。

太阳还高高地挂着，一点也看不出它要从哪个方向落下去。

不过在小鹿宝宝向下看的时候，他突然发现了一个东西，看起来好像是一颗鲜亮的红浆果，正躺在他的脚边。真的是浆果吗？

不过当他低下头想用鼻子闻一闻的时候，那颗红浆果却不见了。

小鹿宝宝用蹄子扒开了雪，却只看到残枝败叶，哪里有什么红浆果！这也太奇怪了！

小鹿宝宝在雪地上又发现了更多的红点，他就跟着这些红点，一直跟到了森林边上。

每当小鹿宝宝伸出鼻子或蹄子碰一碰这些红点儿的时候，红点儿马上就消失了，看起来就好像是小精灵发出的微光。

小鹿宝宝找到了回家的路，也就忘记了刚刚听到的枪声。

沿着红色的小路，小鹿宝宝走进了树林，一切都显得那么熟悉与安全。

小鹿宝宝根本没注意到刚才那些红点儿带他过来的时候也在路上留下了一条红线……

第一场雪下得太小了，没有全部盖住整个地面，小鹿宝宝很容易就找到了自己的家。

小鹿宝宝有好多话要跟妈妈说：他是怎样透过窗户看到屋子里面，又是怎样发现了一只金花鼠住在一所玉米棒房子里，他还要问问妈妈为什么在打猎季节里最安全的事情就是待在家的附近……

小鹿宝宝欢快地蹦进了地下洞穴，可是里面空空的。

尽管小鹿宝宝一直在找鹿妈妈多依，可是太阳都落山了，他还是没有找到妈妈，他眼里含着泪水……

最后，天黑了，森林里也非常黑。小鹿宝宝突然想到，有可能在他听到枪声的时候，妈妈正在找他，当时妈妈肯定正跟着他，瞧着他呢。

小鹿宝宝只好回到洞穴里躺下来。

小鹿宝宝觉得好冷，又伤心又害怕，因为妈妈不在家……

不知道过了多久，小鹿宝宝突然觉得有一个温暖的肚子正在靠近，他觉得自己肯定是在做梦。小鹿宝宝睡得不太好，时常还会醒过来，因为这是他第一次在这么寒冷的夜晚自己一个人过夜。

小鹿宝宝翻了个身，在梦里，他依偎在鹿妈妈多依的怀里……

可是一声奇怪的、长长的“哞哞”声打破了夜晚的宁静，小鹿宝宝吓得跳了起来。

小鹿宝宝蹦蹦跳跳地跑出地下洞穴，他看到了一头跟自己差不多的动物。

这只陌生的动物有点胖，毛皮也是浅褐色，大大的眼睛里闪烁着温柔，身高也和小鹿宝宝差不多。

这个陌生的伙伴走了过来，用鼻子碰了碰他。

然后，这头陌生的动物友好地靠着小鹿宝宝颤抖的身体，好像有一种神奇的力量在诱惑着小鹿宝宝，他们一起来到了桦树林下的灌木丛，他们一起躺了下来，小鹿宝宝非常安详地睡着了……

就这样，他俩谁也不孤单了，小母牛王尔德找到了一个兄弟，而小鹿宝宝找到了一个姐妹。以后，小母牛王尔德和小鹿宝宝就可以一起奔跑了！

第八章
谷仓晚宴

咔——咔！咔——咔！

听到这声音，胡桃木小姐皱起了眉头，她太熟悉这种声音了。

在树底下的一个洞里，松鼠正在嗑坚果。他收获了非常多的坚果，并且还催促着胡桃木小姐，让她赶紧准备过冬的食物。

已经是十一月份了，地上偶尔有些积雪，是时候准备过冬的食物了。

胡桃木小姐还是有点怕松鼠，当他们在果园里碰见的时候，松鼠总是冷冷地盯着她的脑袋看，也不说话，这样子让她觉得非常不舒服。

有时候，松鼠也会开玩笑似的说要摘掉胡桃木小姐的帽子。

实际上，松鼠真的摘掉过她的帽子，不过他只是吃了点帽子的花边罢了。

入冬以来，在几个有暴风雨的夜晚过后，开始下雪了，那些树被风刮得东倒西歪的。

胡桃木小姐觉得这雪简直就是个可怕的敌人，而不是像大家所说的是一条雪白的毯子。

胡桃木小姐把树叶盖在下巴上，一直哆嗦着，不是因为冷，而是因为害怕。

胡桃木小姐看到两只灰色的爪子正抓在她的鸟窝边上，一对明亮的眼睛正偷偷地看着她。她一下子从床上坐了起来。

“这么晚了你想做什么？”胡桃木小姐问道。

“只是想守着你，不让你担心，胡桃木小姐！”松鼠说。

松鼠挤进了胡桃木小姐的窝，靠在她的身旁，只留下他那条毛茸茸的尾巴在鸟窝外面。

“我只是想让你暖和些！”松鼠用他的一只爪子拍了拍胡桃木小姐的脸。

“你真的太好了！我得说，是真的非常好！”胡桃木小

姐痛苦地说道，“你是不是想今晚睡在我的床上，明晚让我睡你的洞穴？我敢说你的洞穴肯定比我的窝要经得起风雨！”

“哦，不行，不行！”松鼠惊慌地跳下了树，回到了他舒适的洞穴里。这个洞穴铺满了苔藓，角落里还放着一堆坚果。

“我真的没有恶意！”

松鼠一边下去，一边唠叨着。

胡桃木小姐仍然记得那个晚上，她有时也会自问是不是对松鼠有点苛刻。

松鼠记性差，又不会打算盘，这些对他来说都是不幸的。松鼠看起来是不惦记她的脑袋了，只是有时候戏弄一下她罢了……

在初冬的一天，胡桃木小姐走出来，摇晃着身子，顺着一根一根的树枝爬下了树，站在松鼠洞穴的前面很久，就那么盯着。

松鼠又啃了颗坚果，等他吃完了最后一颗，胡桃木小姐开始说话了。

“明天怎么办，小家伙？”

胡桃木小姐问松鼠。

松鼠跳了起来，他想痛了脑袋，想找个理由，然后……

“我等会儿就去找点山毛榉坚果。”

他唠叨着。

“然后呢？你能记得你的洞穴吗？你会不会在你回来的路上又把坚果吃完了？如果你补充了食物储备，你会不会还是一天吃六顿而不是一天吃三顿啊？”

“现在就出发，胡桃木小姐！”松鼠明亮的眼睛闪着光，“这样你就可以保住你自己的坚果脑袋了。”

胡桃木小姐没有等，她穿着溜冰鞋以最快的速度离开了。

在这之前的夏天，这还是一双普通的鞋子，是用树皮做的，但是自从她搬了新家，她总是爬上爬下的，所以鞋子快就被穿坏了，被磨得尖尖的。所以胡桃木小姐可以把它们当作溜冰鞋。

胡桃木小姐滑过雪地上的冰面，快得像一只奔跑的鹿，她的心情也变得欢快起来。

心情变化的速度快得就跟冬天说来就来一样。

胡桃木小姐现在的主要目标是食物，她三个月前储备的罐头已经不够了。

她也知道，最近肯定有非常多的冰冻食物，果树就是她的自助餐厅。

她先是滑到高草坪，赤杨就长在边上，又美味又鲜嫩的果实可以当小点心。

快到鸟棚的时候，胡桃木小姐远远地就听到女子互助社咕咕的歌唱声。

想当初，女子互助社还是胡桃木小姐帮忙建立起来的。

母鸡菲摄特太太正在那里，旁边还围着一群土褐色的小母鸡。

她们一起用树叶做了漂亮的棉被，盖起来更加保暖。被子上的雪把被子衬得更加鲜艳了。

没有公鸡菲摄特先生和他高傲的同伙，母鸡们一起住，看起来十分和谐。

胡桃木小姐断断续续地听到她们说的一些话。

“公鸡每次在路的那一头就开始把尾巴装点成最漂亮的样子，非常招摇地走向残枝败叶，去吃他的早餐。不过，我们的食物就在这里。”母鸡菲摄特太太说完，还开心地啄了粒玉米。

“他们肯定不久就会来找我们了。”

“每到冬天，公鸡和母鸡就应该分开住，这种做法应该成为一种风俗习惯！”

“这里有好多的玉米和种子啊！”

女子互助社又传来了轻轻的哼唱声。

“她们都好好的，我就不打扰她们了。”

胡桃木小姐心想。她咬了颗红赤杨浆果，穿过了大路，滑到了爱刻地。

胡桃木小姐知道谷仓是个又温暖又友好的地方，住着母鸡、羊、马、鸽子，还有母牛和她的双胞胎女儿，当然还有威拉德布朗先生。

“上次他让我来的时候，我应该来的，”她自言自语，“自己太感情用事了！”

就在这个时候，谷仓的门慢慢地打开了，晚餐来了。

玉米是给家禽吃的，饲料是给动物吃的，还有干草和麦片。

胡桃木小姐一心想要溜进谷仓暖和暖和，幸好躲闪得快，不然的话，早被跑过去的小母牛撞到了。

“真是死里逃生啊，胡桃木小姐！”

威拉德布朗先生的咕噜声在耳旁响起，他悄无声息地走上前来，大大的眼睛里闪着幽幽的绿光。他对胡桃木小姐说：“你要是想进来的话，最好还是走我的猫洞吧！你来得太是时候了，好戏就要上演了，这可真是可遇不可求的呀！”

门上的猫洞是四四方方的，是一扇小的铰链门，很靠近地面。

威拉德布朗先生用鼻子推了推门，进了谷仓，胡桃木小姐紧紧地跟在他的身后。

谷仓内，大家正忙着吃，都计划着要饱餐一顿。

双胞胎小母牛没在一起吃饭，在母牛的棚里，只有一头叫班的小母牛正在母亲边上安静地吃着。

威拉德布朗先生领着胡桃木小姐往前走，眼睛发出的绿光照亮前方的道路，他们向一道虚掩着的门走去。

在那里，他们看到另一头小母牛王尔德与小鹿宝宝肩并肩地站着，正吃晚饭呢。

一整天，他们两个都一起到处跑。小母牛王尔德喜欢这种自由的感觉；小鹿宝宝呢，他可以跟她分享森林的秘密。

他们都长得非常快，比夏天的时候高了许多，不过看起来还是非常像兄妹。

小母牛王尔德已经学会了怎样快速奔跑，这点可是其他小牛都不能做到的。

小鹿宝宝身上的斑点已经少了很多，不过毛皮更加厚了。

刚来的时候，小鹿宝宝总是很怕谷仓。

树林边上有一个灌木丛，两棵白桦树各站一旁，成了爱刻地入口的一道门。他每次都会等在这个门口，一直等到夕阳的余晖出现的时候，而小母牛王尔德会一直催他进来。

最后，小鹿宝宝还是飞一样地跑了进来，鼻孔微张着，头高高地仰着，身体呈弓形，随时准备撤退。

不过他总算还是进来了，一大桶最好吃的麦片就放在门边上，正在等着他呢。

“我跟你说过谷仓里发生了好多奇怪的事情。”威拉德布朗先生说，眼睛和胡桃木小姐一样眨也不眨地盯着小母牛王尔德和小鹿宝宝，“只要傍晚一到，小母牛王尔德就领着小鹿宝宝一起来吃晚饭！”

第九章
迎接圣诞

圣诞节的前一天，胡桃木小姐有一种预感，好像有什么事情就要发生了似的。

那是一种难以言表的感觉，甚至连她自己也说不清楚。

虽然没有特别的事情发生，但是土地和森林看起来都像是在期待着什么。

地上的积雪已经非常厚了，上面有一些小动物留下的脚印，应该是小兔子、小鸟或者是鹿留下的，不过看起来都是匆匆忙忙地经过的样子。

那一棵月桂树肯定有一个愿望，那就是希望自己一整个冬天看起来都绿油油的，充满着生机的。你看它已经从积雪中挣脱了出来，它肯定希望有人能把它做成圣诞花环。

松树翠绿的手指尖正捧着小雪球，这样的造型正好是为圣诞准备的呢。

直立的小铁杉和云杉围在一起，争着要成为一棵漂亮的圣诞树。

还有鲜红的浆果挂在月桂树上，这样月桂树看起来更像是圣诞花环了。

低矮的松树斜斜地躺在积雪下面，看起来就像是串绿色花冠……

胡桃木小姐还记得去年的圣诞节，那时，她还住在欧得那里的一个厨房的窗台上。

那里，她可以闻到肉馅饼、火鸡还有圣诞布丁的味道，她还可以看到客厅里摆放着一棵圣诞树，还有太妃糖。

她的玉米棒小屋前面也会放置一棵翠绿的铁杉幼苗作为她的圣诞树，她还能收到一件新的花格纹围裙作为圣诞礼物……

可是，现在什么都变了，回想起以前的美好记忆，更加让胡桃木小姐伤心了……

胡桃木小姐穿着她的雪鞋在雪地上滑行着，遨游在她自由自在的世界里。

她嘴里嚼着树皮和野蔷薇果，帽子上还插了一片月桂叶作为花边。上次的花边还是松鼠给她拧下来的。

她对这个季节已经没有什么概念了，反正她没有老农夫的日历……

黄昏的时候，松鼠非常轻松地就跳到了树枝上，来到胡桃木小姐的窝旁边。

“今天晚上会有满月，胡桃木小姐。”他宣布说，“平安夜有着明亮的月光，你不应该这么早上床，应该通宵参加庆典才对！”

“庆典？什么庆典？”

胡桃木小姐又把自己的帽子往下拉紧点。即使是过了好几周，她还是有点不相信松鼠。

“在谷仓那边。”松鼠告诉她，“平安夜十二点的时候，总会发生精彩的故事。我妈妈去年就带我去过那里，只有我们这些动物还有像你这样的才可以过去。不管是个子大的还是个子小的，野生的或者圈养的，地上跑的还是天上飞的，大家都会去谷仓参加这个庆典！”

“我已经过了听睡前故事的年龄了！”胡桃木小姐生气地说着，把被子塞到脚边，“如果你觉得无聊，你可以走了，松鼠！”

“平安夜的奇特之处就在……”松鼠好像没有听到她在说什么似的，继续说道，“就在谷仓的一个食槽里，食槽的主人会看到一个奇观发生。食槽内新鲜的谷物里面，尽管稻草和麦片都是新添置的，也没被吃过，今天午夜，还是会出现一个小坑。这个坑的形状就像是一个宝宝的头和身体。胡桃木小姐，你知道那是什么宝宝吗?”他急切地问着。

“我早就看过了，但从来都不是在谷仓里，更不是在这样的冬天里!”胡桃木小姐言语冷酷地回答，“而且从来就没看到过你!”她突然加了这么一句。

“我向你保证，我就是在平安夜的谷仓里看到的!我保证!”

松鼠灰色的窄窄的额头拧在了一起，因为胡桃木小姐不相信，他觉得非常失望。

“我认为，肯定是你昨天晚上坚果吃多了以后做的一个梦!哦，对了，我每天每夜都听到你吭哧吭哧地在吃东西呢!”

可是，松鼠并没有因此而安静下来。

“接着，所有生活在谷仓和野外的动物们都可以看到这个奇迹。大家都聚拢在那个食槽边上，然后……”

“漂亮!”胡桃木小姐说，“不过，我听够你的话了。

爬下树枝去，回自己家去！”

“你肯定会后悔的。”

松鼠觉得被胡桃木小姐侮辱了。

他用爪子拍了下胡桃木小姐的脑袋，因为用力过猛，她的帽子都斜了。

“硬壳脑袋！”

松鼠一边说一边走了。

这样的形容让胡桃木小姐觉得非常熟悉。

不过事实是胡桃木小姐的坚果脑袋有时会让她想问题时有点困难，她突然想到了这一点。

“我先好好休息一晚上，然后明天早上去谷仓看个明白。”胡桃木小姐这么打算着，“我可以看看那里到底都有些什么！”

就这样，平安夜到来的时候，胡桃木小姐早早地上了床。

胡桃木小姐已经进入了梦乡。这时，传来一声声非常响亮又非常甜蜜的召唤，就像是精灵晃动着结霜的树枝发出丁零丁零的声音，并伴着挂在树上的冰柱相撞，发出叮叮当当的声音，十分好听。

正当胡桃木小姐的树发出这种叮叮当当的声音的时候，其他的树也加入了这场音乐会，直到整个果园都振奋了，激动地唱着圣诞节的歌。

胡桃木小姐从床上坐了起来，月光洒在雪地上，十分美丽。

胡桃木小姐揉了揉眼睛，起了床，然后爬上了树枝，看看周围到底发生了什么事情。

当胡桃木小姐爬上了树顶的时候，她终于明白真的有奇怪的事情发生了。

从坦普尔山的山脚下，环绕着果园，向着谷仓的方向，胡桃木小姐看到了一支奇怪的队伍。

领头的是一头母牛，但不是胡桃木小姐熟悉的那头母牛，因为这头是白色的。

跟在她后面的，是衔着冬青树枝的知更鸟，还有咬着月桂叶的蓝鸟。

后面是小鹿宝宝，但是出乎意料的是，鹿妈妈多依就在小鹿宝宝的身边。

小鹿宝宝和鹿妈妈多依轻手轻脚地走着，赶来听果园的钟声。他们走得非常慢，不再犹豫地望着树林和牧场，因为他们不再害怕了。

当看到公鸡菲摄特先生的时候，胡桃木小姐咯咯地笑了。

公鸡菲摄特先生美丽的尾巴拖在雪地上，留下了一幅闪亮的画。他加入了高草坪上的圣诞大队。曾经他也到过高草坪那里的女子互助社专门找过母鸡菲摄特太太。现在母鸡菲摄特太太也在队伍里，跟在公鸡菲摄特先生后面，拉开了一段距离，保持着尊重。

胡桃木小姐看到孔雀组成的漂亮队伍走下山时，她的呼吸都停止住了，他们都展开了钻石般绚烂的尾巴。

夜莺们唱着歌来了；鹦鹉衔着棕榈叶成双成对地飞在队伍里；脚步轻盈的山羊身上挂着铃铛，跳着舞蹈。

骆驼大队也来了，高大的骆驼披着丝绸饰品。胡桃木小姐看到这个情景，真的吓了一跳。但是，对于圈养的动物混进这远道而来的队伍里，大家却一点也不害怕。

一只白色的臭鼬和她的一家子离开洞穴加入了大部队，蹦蹦跳跳的小兔子和鹿群也加入了。

猫头鹰也离开了洞穴，就连瞎眼的鼹鼠也好像恢复了视力。

大部队里个子大的动物小心谨慎地向前走着，没有半点要欺负小动物的样子。

田鼠沿着积雪轻快地跑着，在雪地上留下了一连串的脚印。

还有狐狸——红狐狸、蓝狐狸、银狐狸，也走了过去。

黄鼬、貂和海狸在队伍里跑进跑出……

胡桃木小姐一阵眩晕，好像就要失去了知觉。

不过，在这么高的树顶上，当胡桃木小姐觉得脖子边上有温热的气息时，她几乎要从树上掉了下去。

原来是松鼠，他几乎是对着胡桃木小姐的耳朵大喊着：“我刚才说什么来着，胡桃木小姐？现在你应该相信我了吧？我现在也要过去了。你要抓紧，不然的话可要迟到了！”

当松鼠跳下树梢的时候，胡桃木小姐又吃了一惊——松鼠不是自己去的，他边上有一只年老又虚弱的松鼠，身材瘦弱，皮毛带着斑点，尾巴也不能高高耸起了。

松鼠哆哆嗦嗦地向胡桃木小姐介绍：“这是我妈妈！她也是来参加庆典的。如果你想按时参加的话，那就赶紧！”

“没什么好犹豫的！”胡桃木小姐马上行动，不过是跌跌撞撞地爬下来的，“谷仓那边会等我的！”

可是，松鼠可没时间听胡桃木小姐说话。

在这么重大的场合上，胡桃木小姐非常害怕一个人孤零零的。

胡桃木小姐从一根树枝滑到另一根上面，等她站到了地面上，她已经在队伍的最后面了。

一个非常奇怪的生物，有着人类的胳膊，人类的脸，不过后面拖着一根长长的尾巴，正走在胡桃木小姐的前面。他是猴子。

猴子转头看了看胡桃木小姐，然后伸出一只胳膊指着东边的天空说：“那里有一颗明亮的星星，亮度胜过了月亮！”

说完他突然加快了脚步。

“这跟日历上说的不一样。”胡桃木小姐自言自语，“日历上都说在满月的时候，没有哪颗星星会比月亮更明亮！”

个子小巧的胡桃木小姐跟着圣诞之星的光照，走到了谷仓。

一到谷仓，胡桃木小姐就发现自己来得太晚了。

谷仓的门开着，一眼望进去，所有圈养的动物——母牛、双胞胎小母牛、老马、羊和小羊羔等都挤在一起。

威拉德布朗先生打着漂亮的红色蝴蝶结规规矩矩地坐在一堆穿着灰色长袍的老鼠身边，甚至连闻都不闻那些老鼠。

猫头鹰栖息在鸡窝上，眼睛眨巴眨巴地发出亮光。

狐狸蹲在一群母鸡边上。

猴子倒挂在一根横梁上。

长耳朵的驴耐心地守候在谷仓门口那儿，双眼微闭，耷拉着脑袋，看样子是经长途跋涉完后终于到达这里的。

所有的骆驼都守候在谷仓的前院。

胡桃木小姐飞快地跑到猫洞那儿，可是不管她怎么使劲，门还是打不开。

胡桃木小姐只好穿过前院高高低低、粗细不同的腿，最后摸到了谷仓的门口。

不过，胡桃木小姐再也不能往前走了，路全都被堵住了。所有动物看起来都要分享那个她根本不相信的秘密，所以她只能等在那里。

到了午夜，圣诞之星进入了谷仓，它金色的光束穿过了天花板，一直射到小母牛王尔德的畜栏上。

突然，外面传来了翅膀的扑棱声，然后，所有的动物，都跪在谷仓的地上低着头：母牛、老马、双胞胎小母牛低下了头；被老鼠包围着的威拉德布朗先生也低下了头；猴子合上了双手；骆驼的大脑袋也低垂着；松鼠和他的妈妈就站在胡桃木小姐的旁边。

“那是什么？”

胡桃木小姐问松鼠。

“我看不到！”

松鼠使劲按住胡桃木小姐的头，但是她的脖子太硬了，低不了头。

“我告诉过你。”松鼠小声地说，“小母牛王尔德的食槽里有……”

但是冰柱噼里啪啦的声音把最后几个字给淹没了，胡桃木小姐根本没听到。

接着，所有的动物们都站起身来。

所有的动物，除了胡桃木小姐，都看到了王尔德食槽里的金色印记。

圣诞之星的光渐渐地暗淡了，所有陌生的动物又开始聚集起来重新组成一个队伍往回赶，向坦普尔山走去……

谷仓的门关上了，世界一下子又回到原来的冰天雪地的样子，不过这个时候已经是圣诞节的清晨了。

胡桃木小姐开始往家的方向走去。

胡桃木小姐碰到了小鹿宝宝，他一个人孤单地在雪地上找吃的。

在高草坪那里，女子互助社的母鸡们正舒服地躲在自制的被子里面，看不到任何一只公鸡。

走到松鼠的树洞前面时，胡桃木小姐偷偷往里瞥了一眼，他也是一个人，正在嚼着坚果呢。

他还是不知道要储存食物，这个冬天还很长呢！

“如果我没看到，也没去过那里，我觉得我简直就是在做梦！”

胡桃木小姐心想。

突然，胡桃木小姐意识到："我真是不应该只是注意听松鼠说什么，我当时应该看看谷仓食槽那里到底发生了什么，我真的是个硬壳脑袋啊！"

胡桃木小姐顿时觉得好伤心，好郁闷……

第十章
害怕影子

在高草坪的一头住着一只土拨鼠，他可是一个脾气异常暴躁的家伙，不仅如此，他还非常自私，所以他一个朋友都没有。

这只土拨鼠皮毛杂乱，衣衫褴褛，孤独地生活在玉米秸和豇豆丛里，眼珠滴溜乱转，黄色的长牙时刻准备着要啃蔬菜。

整个夏天，土拨鼠都在啃甜玉米、嫩豌豆，嚼豆子、小南瓜，当然还有绿叶和青菜。

水果都是咬了一口以后就被他扔到了地上，然后就腐烂了。

土拨鼠从来都不会考虑自己的家庭，尽管那里有他的许多子女甚至好多孙子孙女。但是他根本不管他们，让他们自生自灭。

实际上，土拨鼠要是真见了他的亲戚，他肯定也是先露出尖牙，抢到蔬菜再说。

而且他吃什么都能长肉，那么胖的身子足够他一整个冬天不吃不喝了。

所以当玉米都被捆走了，蔬菜园子只剩下了残枝败叶，甚至霜冻都来了的时候，土拨鼠就回到了他的洞穴里面睡觉去了。

土拨鼠睡觉的时候把自己蜷缩成一团，看起来像是一个不太整洁的球。

土拨鼠还打呼噜，肯定是梦到来年的庄稼长势更好了。

这样的坏习惯使土拨鼠很不受大家的欢迎。

他没有任何朋友，而且他还非常胆小，害怕名叫奎尔的那只豪猪。因为那个家伙也经常光顾他常去的庄稼地和菜园，他的背后有许多尖尖的刺，好像随时可以发射出去。

土拨鼠也害怕枪。

对了，土拨鼠还害怕自己的影子！

土拨鼠没受过什么教育，他觉得影子就是敌人，又黑又危险。

每次看到自己的影子，土拨鼠总是拔腿就跑。

当然啦，影子肯定会一直跟着他。

不过土拨鼠在偷东西的时候几乎看不到影子，因为当时他只想着吃了……

但是现在已经是二月份了。

偶尔也会有一天阳光灿烂，温暖的气息钻进了土拨鼠的被窝，他会醒过来，打个呵欠，感觉肚子空了，然后爬到门边盯着外面看。

二月份，该发生的总会发生。

天气暖和得让人不敢相信，太阳在坦普尔山那里早早地升了起来，然后又迟迟地落下，一整天都温暖地照着果园。

土拨鼠感受到了太阳的温暖，也渐渐地感觉到了饥饿。

二月初的一天，土拨鼠终于把鼻子伸出了洞口，他几乎不敢相信自己的眼睛：苹果树上挂着的冰柱融化了，滴滴答答地淌着水！

土拨鼠将一只爪子浸泡在了雪水里，然后触到了底下的泥土。

之后，土拨鼠壮起胆子往前挪了挪，然后再挪一点。

突然，土拨鼠吓傻了，有一个大怪物张着大嘴，露着尖牙，就在旁边的雪地里！

土拨鼠又看到了自己的影子，这个影子比去年的看起来要大多了，更加凶猛了！

不仅仅是自己的影子，在他的边上还有一个奇怪的家伙，她长着尖鼻子，歪戴着帽子。

“站住！”

胡桃木小姐大声叫道。

虽然没有退让的样子，胡桃木小姐还是非常害怕的。

因为她以前没见过土拨鼠，土拨鼠的体形看起来跟威拉德布朗先生差不多，长着可怕的尖牙，就近在自己的眼前。

土拨鼠扭头跑了，之后，他迅速地跑到洞穴的最里面。

胡桃木小姐也开始往回跑，并庆幸土拨鼠离开了。

胡桃木小姐一直跑到了挤在一起的母鸡那里，她们正低声吟唱着。

当然她们还住在高草坪石壁那儿的女子互助社。

母鸡们一下子被胡桃木小姐冲散了，还好她们柔软的大翅膀救了她。

不过母鸡们还是吃了一惊，她们从来都没见过胡桃木小姐这么跑过。

“好啦，好啦，亲爱的。”母鸡菲摄特太太说，“不要害怕成这个样子！朋友们都在身边，你是绝对安全的，告诉我，到底发生了什么事？”

胡桃木小姐一直等到不大口喘气了才开口说话。

“我刚刚看到一个怪兽，跟谷仓里的那只猫那么大，还有黄色的尖牙！就在附近，离你们非常近，我就在高草坪那边看到的！”

“那只野兽在做什么？”母鸡菲摄特太太问她，“他追你了吗？”

“事实上并没有。当时他在洞穴口挖什么东西，影子就在边上。”

“然后呢？”

母鸡菲摄特太太非常好奇。

“一看到我他就跑开了，直接钻进了洞穴里。”

“所以你是说那只老土拨鼠是因为你才逃跑的！”

母鸡菲摄特太太，也就是女子互助社现任主席，已经没有以前那么胆小害怕了，她说：“你知道到底是怎么回事吗？土拨鼠会跑回自己的洞穴可不是因为你，而是因为他看到了自己的影子！”

“什么？”

胡桃木小姐简直不相信自己的耳朵。

“六个多星期了！”母鸡菲摄特太太叹息道，“如果土拨鼠爬出洞穴，阳光照在了他的身上，他就会看到自己的影子，然后就会被吓得跑回到洞穴里。每次都是这样！”

“六个多星期了！”

其他母鸡都叹息着。

胡桃木小姐也很惊讶地说：“这是怎么回事？我要是在夜晚的时候，月亮照出了我的影子，我总觉得我的影子是我最好的伙伴！”

母鸡菲摄特太太回答：“因为土拨鼠怕自己的影子啊！他经常偷吃蔬菜，所以他总幻想他的影子是来抓他的。他几乎不出洞穴，除非他要出去偷菜吃。他会尽量待在阴暗的地方，那样就不会碰到他的影子了。”

胡桃木小姐觉得这太不可思议了，这件事完全超出了她的理解范围……

不过不久之后，胡桃木小姐的身体终于没那么僵硬了，双腿也变得灵活起来，双手也可以随意活动了，就好像是新鲜的树液从体内涌上来，四肢也变灵活了。

树液涌上来了，胡桃木小姐的脑子也比以前更加好使了。

“土拨鼠还是非常聪明的。”胡桃木小姐继续刚才的话题，“所有的贼都会害怕，我问你，土拨鼠为什么要偷东西？那是因为他饿了！你想，如果农夫没给你留下玉米，你怎么解决一日三餐？看看你那堆没吃掉的玉米，明天肯定又有一堆，比他好多了！”

“你是不是有什么计策了？”

母鸡菲摄特太太问胡桃木小姐。

“到了你们女子互助社里的所有母鸡们应该要行动的时候了，当你们碰到现在这样的情形，你们该做点什么！”胡桃木小姐告诉所有的母鸡们，“女子互助，并不是说你们只知道自己照顾自己！”

“你的意思就是我们应该把玉米送给土拨鼠?！”

“为什么不可以呢？友善地对待土拨鼠，也许他会明白什么是礼尚往来！”

母鸡们都没说话，她们在思考，她们从来没考虑过别人，她们只想着要照顾好自己，幸好冬天过去了，说起来过得还不错。尽管她们被公鸡们抛弃了，但是她们还是在高草坪找到了保护所，而且还有食物。

“改天再来，我们需要考虑的时间！”

她们这么告诉胡桃木小姐。这是个重大的决定，不能随便地下结论……

不过，第二天寒风刺骨，胡桃木小姐只好待在家里。

大风天过后，浓雾又持续了好些天。

有两周的时间，太阳都没有出现。

不过，在一个阴天的日子里，胡桃木小姐还是去了趟女子互助社。

一到那里，她就听到所有母鸡在争论着什么……

“安静！安静一下！”胡桃木小姐对她们大声地喊道，“不能只考虑你们自己了。冬天已经够长了，所以如果我们能做一点力所能及的事情来打破冬日的寒冷，我们一定要做！”

说完，她抓起两把发黄的玉米粒。

“跟我来！”她发出了命令。

于是，所有的母鸡都听从胡桃木小姐的话，顺从地把一颗玉米粒叼在嘴里。

不一会儿，她们排成了一排，由她们的主席——母鸡菲摄特太太带领着跟在胡桃木小姐后面，走出她们的住所，穿过高草坪，一直走到土拨鼠住的地方。她们知道那是他的窝，因为她们听到了他均匀的打鼾声。

“把玉米摊开放在他的门口，”胡桃木小姐告诉她们，“然后，快跑！”

她们把玉米放在土拨鼠的洞口。这些足够他饱餐一顿了。

胡桃木小姐大声敲了几下门，然后大家都散开，跑到一个安全的地方站好，静静地观察着变化。

土拨鼠的呼噜声渐渐小了下去，他稍稍挪动了一下，然后舒展开了身体，接着大家看到了他那张相貌平平的脸。不过，一看他那双黑色的双眼，就知道这是个心中有鬼的家伙。

土拨鼠小心谨慎地往外面看着，然后将整个身体都探出了洞口，他一眼就瞥见了玉米，然后迅速地扑了上去，贪婪地吃起了玉米，不过他的眼睛还是一刻也没闲着，一直东张西望。

因为是阴天，土拨鼠没看到自己的影子，他吃完后，关上了门，小心谨慎地走了出去。

有些绿皮苹果树已经从积雪里钻出了头，土拨鼠使劲啃了几口……

“春天要来了！”

胡桃木小姐呼喊着。

“春天要来了！”

母鸡们也异口同声地大声喊道，眼睛转向那个住着公鸡菲摄特先生和其他公鸡的树林，整个冬天，他们都住在那里。

不过土拨鼠并没有返回自己的洞穴，他想看看春耕到底什么时候开始，他也没想过要把别人赠送的食物还给人家。

土拨鼠并不知道自己是个天气预报员，不过实际上他就是个天气预报员。

第十一章
飞上了天

“扑棱扑棱”有翅膀呼扇的声音传来，太阳像被蒙上了一层黑纱，投下了一个巨大的黑影。

松树上面有人在大声地说着话，那就是说，乌鸦克洛回来了。

现在是三月份，乌鸦们的好时光到来了。

上一个季节出生的小乌鸦已经长大，变得和他们的父母一样壮实了。

而那些年长的呢，还是那失去光泽的黑色尾巴，咕噜噜的声音像是乱糟糟的低音演奏。

地上还有一些白霜，偶尔还能看见点儿雪，小溪上面还有一层薄薄的冰。

不过周围已经有了一些变化，已经可以嗅到春天的气息了。

胡桃木小姐在窝里也感到春天的气息正在召唤着她，所以她出来看看到底会有什么事情发生。

“完全不是我所想到的，哦，不对！所有的乌鸦都是羽毛蓬乱，看起来几乎一模一样！”

胡桃木小姐根本认不出里面哪个是她认识的那个叫克洛的乌鸦！

“乌鸦克洛不在这里！”

胡桃木小姐自言自语地说。

突然，随着粗哑而又欢快的“呀呀”声，乌鸦群笔直地冲下，冲到了女子互助社的一群母鸡中间，贪婪地啄着玉米吃。

所有的母鸡都吓坏了，纷纷跑到了安全的地方。

胡桃木小姐看到这样的情景心想：“乌鸦克洛肯定不在这里，我知道的，他不是坏蛋，也不是小偷！”

不过胡桃木小姐发现，如果在这么高的树上看庆典，那感觉实在是太好了。

等乌鸦们抢光了母鸡的大餐，接下来的节目就是争夺鸟窝战。

他们原先建造的鸟窝还在稀稀疏疏的树枝上，经过了一整个冬天，令人想不到竟还完好无损。

所有有自尊的鸟都会在回来以后给自己造个新窝，不过乌鸦可不是这种鸟。

他们用翅膀拍打着对方，用嘴巴啄对方，为的就是争到一个老窝。

只有那些抢不到窝的鸟，才飞去找材料造窝。

不过，只要有一只乌鸦飞出鸟窝，争夺战又会全面爆发。

最终，乌鸦侦察委员会——一个以最厉害、最能吵闹的乌鸦为首的队伍来到了这里，巡视了所有的鸟窝后，开始提出一系列的主张。

他们勇敢地走到犁具后面，用黄色的大脚在种玉米的那块地边上留下脚印作为记号，画了一张张小型地图。估计也只有乌鸦这种眼神犀利的鸟类才能在树上看见这些地图。

然后他们留下小侦察兵查看什么时候庄稼种下去，什么时候豆子、豌豆、芦笋可以摘。

这个侦察委员会的首领总是催促着大家，让大家划出更多的土地，更多的菜园，叽里呱啦地做了许多重要的指示。

可是，他自己根本没有动手。

太阳下山的时候，他飞到了果园里一棵大松树的上方，那里有一个鸟窝，是去年冬天留下的最好、最结实的一个。

“一个完完全全的土匪！”胡桃木小姐得出了这么一个结论。

“这个乌鸦首领真讨厌，唉，不过没人能抓住他，他太谨慎了！”

胡桃木小姐一整个星期都待在家里，靠采集的野果生活。

当周日到来的时候，胡桃木小姐决定出行一次，去看看森林里有什么有趣的事情发生。黄菖蒲应该快要从泥土中伸出手了吧？她已经一整个冬天都没听过黄菖蒲的布道了。

所以，胡桃木小姐脱下帽子，刷了刷，整理了一下，然后又重新戴上。

就在胡桃木小姐出鸟窝准备爬下树枝的时候，她突然看到两只巨大的黄色爪子抓住了鸟窝的边缘，整个鸟窝几乎要翻了下去。

两只黑色的大翅膀圈成了一个帐篷遮在她的头上。

沙哑的嗓音响起：“还在这儿呀，老坚果？漫长的冬天过去了，你体内的树液流淌得怎么样了啊？”

啊，不用怀疑，是乌鸦克洛！

胡桃木小姐爬到了鸟窝的边上，她又被吓了一跳——这只乌鸦，她的乌鸦克洛，就是去年秋天帮她找到这个新家的乌鸦克洛，居然就是侦查委员会的首领，也是带领乌鸦群突袭女子互助社、抢玉米、指导乌鸦群绘制玉米地地图的首领！

现在这个时候，看这个架势，非常明显，乌鸦克洛是要做坏事！

不过还好，乌鸦克洛来得快，跑得也快，他已经跳到了旁边苹果树的树枝上，口气也缓和了些。

“亲爱的姑娘，请原谅老朋友的精神头这么好。我刚好过来看看你在北方是怎样过冬的。南方对于容易感冒的鸟来说，是再合适不过的地方了。我去的就是那个地方，可以采到一些浆果和一些菜园子里的东西。而在北方，这些东西只有到了春天才会成熟。”

他快速地转了转眼珠，最后，对胡桃木小姐使了个眼色。

因为现在乌鸦克洛已经把他笨重的身体移走了，胡桃木小姐的鸟窝又恢复到原来的位置，所以她可以站起来，愤怒的树液流遍了她的肢体，新的词汇蹦了出来：“走开！赶紧走！”

她尖声叫着："我非常后悔认识你，你是个小偷，是个没本事的家伙，还是个破坏和平的坏人！"

"亲爱的姑娘，春天还没有到呢，你就已经开始胡思乱想了！在家里是一头狮子，出门却是一只小羊！不过，只有你和我的时候，在家里你就是一只乌鸦，出门则是一只蓝鸟。看到我回来你好像不是很高兴呀，而且我刚刚离开一个重要的委员会，就为了接你一起飞！"

飞！

这个词一下子把胡桃木小姐的怒气化成了兴奋。如果一辈子没有飞翔的经历，胡桃木小姐肯定会后悔的。

她也听说过，坐公交车或坐火车远行可以增长见识。对于坐飞机这件事，欧得有史以来，还从没有人乘坐过飞机呢！

"什么时候？机场在哪里？谁会给我买机票啊？"

"就是现在，机场就在你鸟窝这里，一分钱也不用花！"

说完，乌鸦克洛"呀呀"地叫了两声。

乌鸦克洛走到胡桃木小姐面前，用一只爪子熟练地举起了她，扭头把她抛到了宽大的后背上。

"抓紧我的脖子！"

乌鸦克洛告诉胡桃木小姐。她照着乌鸦克洛的话做了，用两只胳膊紧紧地搂住他的脖子。

乌鸦克洛展开了双翅，他们一下子冲上了云霄，出发了。

他们在飞翔的时候，乌鸦克洛做了个严肃但却真实的陈述："你还是那个老顽固坚果，听你刚才的言论，根本就没有体谅别人的计划！就因为我吃了邻居的玉米？我还吃小虫子呢！我没画眉鸟唱得好又怎样？我还是第一只传播春天温暖的鸟呢！我、八哥、麻雀、老鹰、猫头鹰只要距离够近就都有可能被枪杀，对于这种情况，我也没觉得有多稀奇！"

"好啦，乌鸦克洛！"胡桃木小姐喘着气说，但是声音听起来非常微弱，"不要为你自己辩护啦，你只要继续飞就好了。"

于是乌鸦克洛展开大翅膀继续飞翔，一会儿高，一会儿低，周围都转了转，一会儿往东，一会儿往西。

胡桃木小姐坐在上面感觉非常平稳，没有一点"晕机"的感觉。

坦普尔山顶上的积雪虽然还挺厚，但是山脚下却围绕着一圈可爱的玫瑰红的色彩。

哦，那是红棕树冒出的新芽呀！山的背风处，挂着一条金色的帘子，淡淡的黄色，看起来就像是新月。哦，那是柳树的嫩芽！而大地看起来就像是一盘棋，被灰色的石墙隔开，上面布满了犁沟。

突然，在高草坪上空，乌鸦克洛做了个紧急降落。

胡桃木小姐看到几个活动的小点在向女子互助社慢慢移动。

“公鸡菲摄特先生，还有其他公鸡，他们过去找他们的老婆了。”乌鸦克洛解说着，“他们会互相帮助的，他们已经开始在树林里的灌木丛那儿搭窝了。你看着好了，每个女孩子都会原谅她们的丈夫，忘记他们过去的所作所为，只因为交配期到了！”

只见每只毛色鲜艳的公鸡走出女子互助社的时候，隔一小段距离，就会有一只土褐色的小母鸡安静地跟在后面，好像安静就是她们本应有的表现。不过她们的内心早就爆发出了喜悦。

然后乌鸦克洛飞得越来越高，直到云朵像一个个摇摆的气球被抛在了下面。胡桃木小姐看到了三月里湛蓝的天空。

接着乌鸦洛克又飞得越来越低，胡桃木小姐连远处溪水微弱的歌唱声都能听到，并看得到薄冰下面的泛起波纹。

小母牛班正在牧场那边。

而小母牛王尔德身上拖着用来绑住她的绳子和木桩，正跟着小鹿宝宝一起冲向树林，他们的腿都比以前结实了，也长了。

不一会儿，乌鸦克洛又飞高了些。

胡桃木小姐看到一只黄色的蝴蝶正在努力展开翅膀飞翔，因为蝴蝶翅膀在蚕蛹里待得太久了。远处，她还看到了一群燕子和几只失恋的山雀。一束束阳光洒在身上，胡桃木小姐觉得非常有安全感。

后来，胡桃木小姐可以不用抓着乌鸦克洛的脖子了，她高兴地张开了双臂。

这样的飞翔！这样的体验！这样的梦想！

冬天做衣服的苔藓现在已经变成棕色的了，而且干枯了，被风吹掉了，不过胡桃木小姐就让它去了，没有一点后悔。

胡桃木小姐的帽子也被风吹走了，飘的越来越远……

“乌鸦克洛！”当他们盘旋在胡桃木小姐的苹果树上方时，她大声地叫着他，“我觉得我应该给自己做几件新衣服了！”

“好女孩！”

乌鸦克洛用沙哑的嗓音表示赞成。

“我还要打扫房间！”

胡桃木小姐说，她回忆起最初在丁香丛那边的玉米棒屋子里是怎样整理房间的。

“我不会在意的。”

乌鸦克洛表示。

他建议道：“看看我，我虽然年龄大了，却非常健康还有活力，为人也非常热情，不过我从来没打扫过我的屋子，一生中也没洗过澡！”

“哈哈。”

胡桃木小姐心里想：“看看你自己——腿上沾满了泥土，翅膀上落满了灰尘，还住一个别人去年留下来的鸟窝，自己也不搭一个新的！”

想归想，但是胡桃木小姐知道，与乌鸦克洛的善良和勇气相比起来，这些缺点都算不了什么。

“我就在附近。”

乌鸦克洛对胡桃木小姐说，然后来了一个往下冲的动作，在胡桃木小姐的窝旁边安全着陆，就在那棵苹果树上。

“如果你需要我，吹一下口哨就行了。今年的春天来得好早啊！”

胡桃木小姐上气不接下气地爬下来，心中充满了感激。

乌鸦克洛再一次展开翅膀。

胡桃木小姐脑袋里突然闪现出一句经常会在布道里出现的话："荣耀是属于神的！"

她大声地喊起来……

第十二章

牛蛙丢衣

当牛蛙先生准备离开他的池塘到第三条溪水的时候，已经是晚秋了。

牛蛙先生的脑子反应有点慢，但是他到底还是做了个决定。

牛蛙先生住在青蛙池塘已经好几年了，有很多儿女，他的儿女又养育了更多的蝌蚪。

每到夏天，只要他大声地叫一声“呱”，声音很快就会连成一片。

到了冬天，他就躲到温暖的泥土底下。

如果有人说牛蛙先生这次长途跋涉是一次伟大冒险的开始，那他肯定会惊讶得眼珠直转。

当牛蛙先生在岸边晒太阳的时候，总有两条腿的人向他扔石头，他已经非常厌倦成为这样的目标。甚至他冬眠的时候，两条腿的人还有可能会来打破河上的冰层，试图来折磨他。

这样的生活已经过了好几年，牛蛙先生终于下定决心要搬家了。

绿色植物茂盛的青蛙池塘里，住着一群呱呱叫的居民，就在欧得附近。

池塘底部是厚厚的淤泥，长满了水草。这里是青蛙们的天堂。

"呱，呱呱，呱呱呱……"他们的叫声简直跟摇摆舞乐队那样吵。

牛蛙先生，一个戴眼镜的老家伙，是里头最吵的一个。

牛蛙先生一年比一年健壮，一年比一年吵。

牛蛙先生坐在演讲台上，就是那个被扔到池塘里的锡皮罐头做的演讲台上，水草遮阴，很是称心如意。

牛蛙先生双眼突起，像两颗巨大的玛瑙，绿色粗糙的皮肤凹凸不平。

看到他的时候，你不禁会想他是不是真的被石头砸到过。

牛蛙先生一直听说有一种说法，那就是：住在玻璃房的人不应该乱扔石头的。

当然，玻璃房应该会更加安全。

牛蛙先生试过把这句谚语转成呱呱叫声，希望能把这句话传播到池塘外，但是这好像超过了他的能力范围。

所以多年以后，每到早秋，不管天气多糟糕，不管将来会怎样，也不管其他，就因为这句谚语，牛蛙先生要跳出青蛙池塘，去寻找一个更加安全的家，一个在玻璃房内的家。

牛蛙先生前进的速度有点慢。蹦一下就停下来看看周围，然后再蹦一下。他的视力好像更适应水里的环境，在森林里总觉得看不清楚。

他跳得越远，离老家就越远，找一个新家就变得更加困难了。

牛蛙先生认识玻璃，以前曾经有一个旧的牛奶瓶砸在他身上，一片片玻璃碎片上映着透明的彩虹，洒落在岸边的阳光石上。

可是，在树林里他蹦得越远，找到玻璃房的希望就越渺茫。

不过，牛蛙先生发现了原木下面的温暖泥洞。晚上他就休息在一个沼泽地里，感觉像家一样温暖。

牛蛙先生沿着第一条溪水向西蹦去，随后沿着第二条溪水前进。

由于现在已经有霜冻了，跟牛蛙先生有着重要关系的人物都没有出门，所以也没人打搅。

就这样，一天又一天过去了，一周又一周过去了，用来填饱肚子的小虫子也越来越少了。

牛蛙先生的外套开始结块，变得坚硬，也渐渐失去了原先嫩绿的光泽。

到最后，在有霜冻的头几个夜晚，牛蛙先生奋力一跳，跳上了第三条溪水的尽头。

“这儿！”

牛蛙先生一边呱呱呱叫着，一边一头扑进了第三条溪水里。透过清澈的溪水和一层薄如纸片的冰层，牛蛙先生说：“这儿是一个我不应该打破宁静的地方。”

看起来他说的没有错。

沿着岸边是又幽深又寂静的森林，正在飞翔的小鸟和闪着亮光的小鱼都包围着他。溪水流过石头，吐出一个个水泡，闪闪发光。

溪流的歌唱与牛蛙先生的低音混合在一起，形成了完美的二重奏。

牛蛙先生突然觉得身上的所有重任都卸下了：再也不

用训练一群群的蝌蚪了，也不用躲避石块了。

所以，牛蛙先生就一个人留在了第三条溪水中。

几乎每天牛蛙先生都游到岸边，坐在石头上，绿色的长腿和黄色的鞋子就在凉爽的溪水里泡着。他呱呱的歌唱声慢慢被丛林里的刺柏、漆木和高耸的蕨类植物组成的和声淹没了……

时间一天天地过去了，然后，一个星期又一个星期过去了，天气也越来越温暖。

现在是愚人节了，也就是四月的第一天，天气还是非常寒冷。

虽然到处充满了活力，但是沼泽地和溪流都还结着冰。

大部分的积雪已经融化了，所以胡桃木小姐决定趁现在冰还没有融化，再溜一次冰。

现在余下的冰都发出耀眼的光芒，因为胡桃木小姐的个子小，所以这些冰完全能承受住她的体重。

于是，愚人节的大清早，胡桃木小姐就向第三条溪水出发了，这是她最喜欢滑冰的地方。

胡桃木小姐喜欢在第三条溪水的冰面上滑过，猜想溪水来自哪里，又流向哪儿去，又是谁教会了它唱歌……

这里的安静让人感到非常舒适，先前乌鸦侦察委员会的噪声几乎把耳朵都震聋了。

胡桃木小姐非常容易地就到了第三条溪水那里，正当她准备从冰上滑下来的时候，她听到了熟悉的但却非常微弱的呱呱声，她吃了一惊。

胡桃木小姐经常在欧得那边听到这种叫声，那里到处都是青蛙。

而这个声音，听起来好像只有一只青蛙的样子，而且听起来还是一只有了麻烦的青蛙。

胡桃木小姐循着声音，沿着第三条溪水，最后看到了一个经历过许多风霜的身影。

牛蛙先生那件本来非常好看的绿色外套上布满了裂口，颜色已经变成脏兮兮的褐色。

牛蛙先生的大脑袋虚弱地耷拉在胸口前，双眼被眼皮重重地盖住，嘴巴张得非常大。不过每回他努力，他都会深呼吸，叫着：“呱，呱！”

胡桃木小姐再走近了些，终于知道到底发生了什么——牛蛙先生的双腿被冻在溪水的冰层里，即使现在是四月，空气中充满了温暖的气息，他还是打不破冰层，不能救出自己的双腿。

牛蛙先生太虚弱了。

“你怎么会陷入这种境况？”

胡桃木小姐抬起牛蛙先生的脑袋，不过他的头又非常快地垂了下去。

“玻璃房！呱呱！两条腿的人拿石头砸我，呱！”

“我听不懂，喂，你大声点！”胡桃木小姐说得非常轻快。

牛蛙先生发出长长的呱呱声，大口喘着气，然后使劲地说话：“从池塘那边过来，住在玻璃房子里的人不扔石头……困在冰里面了……”

然后，牛蛙先生又一次像泄了气的皮球。

“胡言乱语，不知道你在说些什么！”胡桃木小姐大声喊，“住在哪里并不重要，主要还是要看是谁养育的那个两条腿的人，如果养育的那个不扔，被养育大的那个也不会扔。我家的人就从来不会扔石头砸青蛙！”

不过看起来胡桃木小姐的话是多余的。

现在牛蛙先生的头耷拉着，而且他的整个身体都塌了下去。

胡桃木小姐再走近了些，看到牛蛙这么灰心丧气，她非常吃惊。

胡桃木小姐拼命地抓住牛蛙先生的腰带，双脚抵住岸边的淤泥，使劲往后拉。

牛蛙先生的身体好像移动了些。

“呱，呱！”牛蛙先生抬起了头，转向胡桃木小姐，“再使点劲！”他喘着气说。

“那……那你也使点劲！”胡桃木小姐觉得有什么东西在她的双臂间滑动。

牛蛙先生真是个滑溜溜的家伙，但是胡桃木小姐还是紧紧地抓住他，对他大声地说：“赶快晃动你的双脚，冰就会碎掉了！”

胡桃木小姐使劲地往后拖，牛蛙先生呢，找回了他的勇气，扑腾了几下，试图用力地往高的地面跳去。

突然，冰碎了，牛蛙先生的双腿出来了。

然后就像变戏法似的，牛蛙先生跳出了冰面，跳过了胡桃木小姐的脑袋。

胡桃木小姐，可怜的小姑娘，重重地跌坐在了石头上，不是放下了重担，而是被吓到了——她的双臂正捧着牛蛙先生的衣服，一身的衣服！

牛蛙先生的浅绿色的长筒袜、破旧的脏裤子，还有腰带和马甲。

胡桃木小姐刚才在使劲儿的时候，把牛蛙先生全身的衣服都脱掉了。

大祸来了！胡桃木小姐扭过脸去，心虚地放下衣服，准备回家。

“呱，呱，呱呱！”

听到突然响起来的声音，胡桃木小姐回头看了看牛蛙先生。

牛蛙先生简直就像脱胎换骨了一般——他穿上了崭新的绿衣服，颜色比原来更加鲜艳了。

原来绿的地方更绿了，原来黄的地方更加黄了，身上的斑点也密了。

现在的牛蛙先生看起来神采奕奕。

牛蛙先生冲着胡桃木小姐呱呱叫，他解释道：“每个春天都会这样，非常感谢你的帮忙，帮我脱掉了旧衣服，现在我脱掉了旧衣服，换上了里面的新衣服。那么，再见了，姑娘！”

然后牛蛙先生就大步跳开了。

很快，他就消失在青蛙池塘的方向，那里在记忆中要比第三条溪水更加安全些。

胡桃木小姐完完全全地糊涂了，她都不知道自己是怎么走出森林的。

胡桃木小姐想：“我竟然一下子就把牛蛙先生身上的旧衣服脱了下来，那是一整身衣服啊！”

不过，四月里的一阵大雨把胡桃木小姐浇得非常清醒。

胡桃木小姐当时刚到达爱刻地，正穿过果园，远远地就听到了牛蛙先生的声音。

“呱呱！呱呱！”

牛蛙先生正在敲锣打鼓地迎接刚刚到来的春天。

胡桃木小姐呢，回想起了前几年的春天，她决定下周打扫她的屋子……

第十三章
无家可归

知更鸟罗宾是一个骄傲自大的家伙，原因有两个：第一，他们的家族有个外号，叫红胸脯知更鸟，但是这个外号完全不符合实际情况，因为他们的马甲不是红色的，而是橘黄色的；第二，每年四月初，当他飞回北方的时候，他会受到极大的关注。

“第一只知更鸟！”

“早到的鸟儿有虫吃！”

这些说法，都是问候第一只回来的知更鸟的。

所以，知更鸟罗宾每次都会努力地成为第一只回家的知更鸟。

知更鸟罗宾趾高气扬地飞过欧得的草地，斜着脑袋，竖起耳朵听听哪里有虫子蠕动的声音，用嘴一啄，一只虫子就被他捉住了，接着整个吞下肚去。

其实，知更鸟罗宾还是更喜欢吃小浆果的，可是他太爱这种受人瞩目的感觉了，所以，每一次他都要这样地卖弄一下。

知更鸟罗宾知道他的名字很有可能被印成了铅字，同其他从南方回来的家伙们一起出现在报纸上。

其实，知更鸟罗宾也用不着每年都飞到南方去过冬，因为他身体状况很好，肺活量也很大，完全可以待在北方过冬。

他的一个表兄弟就经常一整个冬天都留在北方，待在茂密的松林里。

可是知更鸟罗宾就不愿这样，他宁愿冒着被抓去当馅饼的危险，在每年的秋天飞往南方。

然后在春天飞回北方，为的就是满足他的胃，更重要的是满足他的虚荣心。

现在，春天真的到了，知更鸟罗宾就飞回来了。尽管他还是冷得直打哆嗦，但是，他还是非常想要得到“早到鸟”的名声。

知更鸟罗宾认识那棵苹果树，去年他非常用心地在那棵苹果树上筑窝。

所以，他决定先飞回去看一下，这样还可以避免同伴又笑话他，说他故意装作品德高尚，要自己筑新窝。

尤其是在今天，四月里的一天，知更鸟罗宾看到了一群早到的蓝知更鸟，比他得到了更多的赞扬。

知更鸟罗宾飞在果园的上空，沿着麦金托什小路，最终找到了那棵扭曲的苹果树——上面的枝丫互相重叠，支撑着他的窝安全地度过了冬天。

而现在那个窝，依然挺立在一个枝丫处，看起来还是那么牢固。

不过，当知更鸟罗宾降落在他的老窝边上的时候，他大吃一惊。

胡桃木小姐彻底地打扫了屋子。

月初的几场阵雨把泥土浇软了，她就用这些泥土把屋子涂上，拍一拍，弄平滑。

然后用光滑的长树皮条绕在鸟窝突出的嫩枝上，做成架子。

之后她又把这些架子刷干净了，还重新整理了下冬天剩下的浆果和蔷薇果。

胡桃木小姐把那些破旧的被褥和床单全都扔掉了，换上了新的，材料就是三条溪水边新长出的蕨类植物的卷曲嫩芽。

锦上添花的是，她用黏土做了一只小碗，接了点雨水，里面插着一束新开的五月花。

这样，她的鸟窝就在春天里开出了花。

当胡桃木小姐还在打扫的时候，乌鸦克洛正好飞过，顺便在她那里停留了片刻。

“做得好！”

乌鸦克洛夸赞了她。

他眼睛往下盯着胡桃木小姐的鸟窝里面对她说：“我已经警告过我的伙伴们，不许他们随便到这边来。还有什么我可以为你效劳的吗？”

“没什么事了，实在太感谢你了。对了，你可以给我的春装提些意见吗？”

胡桃木小姐看起来容貌和姿态都十分优美，不过看到乌鸦克洛的衣服非常不整洁，她就皱起了眉头。

乌鸦克洛羞愧地低下了头说：“嗯……嗯……我打算下个月洗个澡。”然后他转头飞了出去。

胡桃木小姐在后面大喊：“学校什么时候开学啊，乌鸦克洛？我想去学校申请当个老师，你知道，我都能教会母鸡菲摄特太太怎么做被子了！”

“现在就开着呢！”

乌鸦克洛嘲笑她。

“两个月以后就要关门了。整个冬天我在南方的时候，学校一直都是开着的。不过，现在玩耍的时间快到了，而且白天越来越长，天气也开始晴朗起来了。”

“那我应该给自己做一套运动装。”

胡桃木小姐说，不过是对她自己说的，因为乌鸦克洛早已经飞走了。

胡桃木小姐现在迫切地需要新衣服，她的脑袋就这样暴露在外面，因为她丢了那顶漂亮的帽子，这样光着脑袋有点危险。

她的裙子已经扯坏了，外套上也出现了小洞。

于是，胡桃木小姐迫不及待地出去寻找材料，尽管在缝补的过程中，老的松针容易碎，而新的容易弯，她还是想办法把自己打扮得漂漂亮亮的。

现在新叶子非常多，足够缝成一条短裙子，而且新长出的绿草也可以变成一件毛衣。

虽然制作帽子的材料非常少，胡桃木小姐还是给自己做了顶浆果花的女帽。

胡桃木小姐的手灵活地缝制着衣服。

最后，她僵硬的双脚穿上了一双粉色的女式拖鞋，非常好看。

“这双鞋肯定很快就会穿坏的。”胡桃木小姐心想，

“但是，我走远路的时候还是会带上它们的。黄菖蒲很快就会又有周日服务了，他绿色的手正穿过沼泽地，到时候肯定会特别羡慕我有这样一双粉色的拖鞋！”

就这样，日子过得很快，胡桃木小姐已经有一周没回麦金托什小路上的家了。

蔓虎刺的叶子非常嫩，吃起来带点辣味，刚好可以作为一日三餐。

胡桃木小姐还有一个旧杯子，是用栎子树果实做的，口渴的时候可以用来舀清澈的溪水。

胡桃木小姐的两条腿露在运动裙外面，看起来比去年春天更加匀称了，棕色的颜色也更加深了，也显得更加丰满了。

“我相信，我肯定在长身体！”胡桃木小姐想，“不管怎么说，我至少比以前更加灵活了！”

的确，胡桃木小姐往家走的时候精神焕发，女式拖鞋用草挂在脖子上，这样可以避免丢失。

一路上，到处都是春天的气息。红漆树花盛开着，柳树开始披上黄色的衣服，小羊羔在爱刻地里蹦蹦跳跳，坦普尔山上挂满了绿皮的苹果灯……

胡桃木小姐来到树前，从一根小树枝荡到另一根高点的树枝，然后开始向上爬，她真的是高兴极了。

胡桃木小姐觉得树上的鸟窝比那个玉米棒房子不知道要好多少倍，而且那个玉米棒房子早在去年冬天的那场暴风雪中就被打垮了。

即使那座房子还能支撑个一年半载，胡桃木小姐也决定不再回去了。

胡桃木小姐一边往上爬，一边想着事情，心里非常满足。

直到胡桃木小姐爬到了鸟窝边，她才发现鸟窝已经被别人占领了：一个毛茸茸的圆球，脑袋上还有一张尖尖的鸟嘴，正趴在里面。

知更鸟罗宾正栖息在不远处的树枝上，看起来像个守护神。

滑稽的是，知更鸟罗宾嘴里还叼着一条非常长的虫子，而他的妻子正趴在几颗鸟蛋的上面。

当胡桃木小姐吃惊得说不出话的时候，知更鸟罗宾立即丢了他的虫子，鼓起了他的羽毛马甲，凶狠地张开了嘴巴，向胡桃木小姐飞来。

胡桃木小姐晃到了另一根树枝上，掰断了一根小细枝，在知更鸟罗宾面前摇晃着。

“你赶快给我出来！怎么回事？你占了我的窝！走开，你们俩都给我走开！”

“你的窝？是谁采的小树枝，是谁一嘴一嘴衔的泥土？是谁建得这么坚固，挺过了去年冬天？又是谁偷偷地占了这个窝住在了里面？”

这些问题，胡桃木小姐心里十分地清楚，但是却不敢回答。

“可是我打扫了，准备在这过春天的！”

胡桃木小姐小声地说。

“而且没付房租！”

知更鸟罗宾继续责骂着胡桃木小姐。

“你知道吗，像你这样喜欢占别人的窝，自己却懒得动手筑窝的人，有一个非常恰当的名字来形容，那就是燕八哥（学名：北椋鸟，是一种会在其他鸟的巢中产卵的鸟）！”

听起来的确让人难以忍受，但是每字每句都是千真万确的。

不过，胡桃木小姐现在已经顾不上羞愧了，她伤心透了。

现在什么都没了。

胡桃木小姐每天可以看到的坦普尔山的风景，夜晚的星空，日间的森林，还有苹果树这边的零碎家务活，几乎是所有，对了，还有安全感！都没了！

胡桃木小姐觉得有必要再试一试。

“我以为所有的鸟都会在春天筑新窝。”

“按道理说，是应该这么做的。不过，看到我的旧窝保持得这么好时，我就搬进来了，而且我现在要给还未孵出的孩子们做胎教。对了，这可是新闻！我们已经在报纸上刊登了一则公告！”

胡桃木小姐还带着一丝希望。

“那……那么，如果我继续待在边上，如果我就这样在一旁等着，是不是我还可以再住进这个窝？”她小心谨慎地问。

知更鸟罗宾气得暴跳如雷，迎面向胡桃木小姐飞来，用喙啄她。

“不可能！走开！我到时候肯定还会再孵一窝的！你休想再上这棵树！”

胡桃木小姐赶忙爬下树，在爬下树的时候，还把她刚做的帽子丢了。

自从胡桃木小姐出生以来，她第一次感觉到这么绝望。

像乌鸦克洛这么严厉的人，肯定不会再像上一次一样来解救她的。

胡桃木小姐知道，乌鸦克洛肯定会觉得，现在已经度过了一个非常美好的冬天，应该是她自己来解决问题的时候了。

金花鼠肯定一整个夏天都会住在玉米棒房子的废墟里的。

威拉德布朗先生肯定忙于谷仓的事情而没空帮她，而且，他也是个自私的家伙。

而在那棵苹果树上，高高站着的知更鸟罗宾正在为胡桃木小姐的不幸而感到高兴，嘴里还哼着歌曲："振作啊！振作！早到的鸟儿！振作起来！"

胡桃木小姐回到了地面，她环顾四周：一切都充满了春天的气息，紫罗兰已经盛开了，蒲公英的金色花朵飘向了视野的尽头……

只是胡桃木小姐丢了新做的帽子，还有那双漂亮的粉色拖鞋也掉在了树枝上。她责怪自己刚才下来得太匆忙了。

突然，胡桃木小姐有了个主意。

这一整个月来，胡桃木小姐都没有看到松鼠像以前那样惊恐慌张地到处乱跑乱跳，也没有再听到他啃坚果的声音。以前，胡桃木小姐可以听到树根边上总有这样的声音。

胡桃木小姐觉得，松鼠很有可能搬走了，他的洞穴应该适合安窝，而且应该冬暖夏凉。

胡桃木小姐往洞穴里偷偷地看了几眼，竖起耳朵听了听动静，然后才轻手轻脚地走进了黑暗的洞穴。

第十四章
松鼠报仇

胡桃木小姐走进了松鼠的洞穴。

洞穴里几乎伸手不见五指，胡桃木小姐渐渐地适应了里面的微弱光线。

这里是个宽敞而又黑暗的地方。

地上到处都是坚果壳，胡桃木小姐小心谨慎地往前走，她没看到一颗完好的坚果。

她可能没发现在角落里有一件破烂的灰色毛皮外套，不过她一路上踢到坚果壳的滚动声吵醒了松鼠，他挣扎着站了起来。

“谁在那儿?”

松鼠虚弱的声音响了起来。

胡桃木小姐靠近他，用脚碰了碰他。

“这也是我想问的，”她说，“哦，是你啊，松鼠，你好像生病了？”

“我都快要饿死了。”松鼠靠在洞穴的墙壁上，有气无力地说，“没有坚果了。”

是胡桃木小姐的幻觉？

还是松鼠真的在盯着她的脑袋？

胡桃木小姐急忙退了回去，严厉地对松鼠说：“那去年秋天，你存的那么多的坚果，现在都到哪里去了呢？”

“被我吃光了。”

他简短地回答。

胡桃木小姐嘲讽地对松鼠说：“满是坚果的树林里，你不是埋了很多吗？”

“我当时就跟你说过，”松鼠耐心地解释道，“我的记性非常差啊。有时，我明明刚埋了一颗坚果，可是我刚转个身，就忘记把坚果埋在哪里了。不过我还是把一些坚果小心翼翼地搬回了家。积雪一开始融化，我就开始忙活起来了，即使生病了，我还是试着找回了些以前我埋的坚果。但是每一颗我都能指出在哪儿吗？不可能，我说不上来。”

说完，他又重重地跌回了地上。

“去年秋天我就告诉过你，现在我跟你再说一遍，松鼠。”胡桃木小姐在他面前晃着一根手指头，“你就是个蠢笨的家伙。你怎么不用你的脑子想想呢？没脑子的废物，就是用来形容你的！”

“废物？”

松鼠突然一下子跳了起来，愤怒让他充满了力量。

“你知道吗？要不是我埋了坚果，又忘记了埋在哪里，树林里怎么会有那么多新长的坚果树？是我种的树，即使我不是有意这么做的！”

“你刚刚说用我的脑子？哈哈，你倒是解释一下，你自己的脑袋，一个老坚果，你觉得你有资格来批评我吗？竟然叫我废物！那么……”

胡桃木小姐吓得浑身僵硬了，想要挪动自己的身体，可是已经没有力气了，因为松鼠突然向前扑了过来，爪子重重地落在了她的肩膀上……

“一直以来，我对你已经够宽容的了。哦，对了，忘了告诉你，我非常了解胡桃木坚果，汁多味美，而且果肉多。我等得已经够久了，我必须现在行动，我希望你能够理解！”松鼠最后以玩笑来结束他的话，“我被饥饿伤害得够深了，你肯定不会伤得比我重的！”

说完，松鼠摘下了胡桃木小姐的脑袋，放进了自己的嘴巴里。

但是奇怪的是，即使脑袋跟胡桃木小姐的身体分开了，松鼠都开始用尖牙咬了，胡桃木小姐的脑袋还是可以思考。

实际上，脑子转得比以前还要快得多，还发出非常大的声响。

“咔嚓！”

“看来我的脑袋还真没怎么好好使用过，也许可能是你刚刚用在我身上的词提醒了我，这么硬的身体实在不适合用这个坚果来当脑袋！”

“咔嚓！咔嚓！”

“身体跟脑袋放在一起简直太愚蠢了！”

当松鼠咔嚓咔嚓地嚼着这个坚果脑袋的时候，坚果脑袋突然对胡桃木小姐说起话来，而且语速非常快。

“一开始，你都没有感觉到搬家是一个多么重要的改变，直到你被抛弃了，直到乌鸦克洛热心地帮助你搬到了知更鸟罗宾的鸟窝。”

“同样，你自己认为很对，那都是你的硬壳脑袋做出的判断，所以你错过了很多很好的探险机会。当威拉德布朗先生邀请你去看母牛吃药的情景，你根本就不相信！”

“你也不相信那只松鼠，他对你说谷仓那里的平安夜有庆典。那是个最大的错误，当你赶到谷仓的时候已经太晚了，你都没看到平安夜发生在食槽的奇观！”

“咔嚓，咔嚓，咔嚓！”

现在，松鼠几乎把胡桃木小姐的脑袋吃完了，脑袋快说不了话了。

“想想你有过的美好生活吧，你看过的夕阳和山脉，森林赐给你的美丽衣裳，还有那么多的朋友和邻居，采摘的各种各样的食物！而你却为他人做了些什么呢？哦，我承认你是建立了女子互助社，不过那也是为了满足你自己的虚荣心罢了。你一辈子都是自私自利的，而且你都不愿意奉献你的硬壳脑袋！”

声音突然停止了，因为胡桃木小姐的整个脑袋被嚼碎吃光了。

没有脑袋的胡桃木小姐正在摸索着前进，跌跌撞撞地走出了松鼠的洞穴。

胡桃木小姐的头丢了，但是胳膊和腿都还在。

不知是什么奇怪的原因，胡桃木小姐的身体反而变得更加轻盈起来，比以前有个坚果脑袋的时候更加有本领了。

当胡桃木小姐的双脚跨过松鼠家的门槛时，屋子里的那位绅士每根毛发都吓得竖了起来。

看到胡桃木小姐没有脑袋的身体还能直挺挺地移动，松鼠被吓得后来几天都对着自己唠叨个不停。直到最后，他告诉自己那只是一个噩梦，梦到他一个朋友扮鬼走路罢了，他这才恢复了过来……

松鼠十分后悔吃了胡桃木小姐的脑袋，从那以后，他成了一只好松鼠，每次都为过冬准备足够的坚果，而且每天只吃三顿饭，两顿饭之间绝不乱吃东西。

没有脑袋的胡桃木小姐继续走着，她的嫩枝小腿碰到了熟悉的石头和草丛。

没有脑袋的胡桃木小姐用嫩枝做成的双手摸到了老苹果树的树皮，她知道到家了。

如果胡桃木小姐的脑袋还在的话，肯定会阻止她自己这么做。

那个脑袋肯定会这么说："知更鸟罗宾肯定会啄你！如果你想找那双女式拖鞋的话，你肯定是找不着的。躺在草地上等死吧！"

这些肯定是坚果脑袋会说的话。

但是，少了个脑袋，胡桃木小姐也没办法，只能跟着感觉走……

现在，没有脑袋的胡桃木小姐体内奔腾的树液里早已没有叫作犹豫或害怕的成分了。

没有脑袋的胡桃木小姐伸出一条腿，在粗糙的苹果树皮上找到一个支点，双手抓住较低的一根突出的树枝，脚用力蹬了一下，荡了上去，比以前荡得还高。

接下来，她抓住更高的树枝，飞速地又荡了上去……

就这样，没有脑袋的胡桃木小姐就这么向上荡去，开心极了。

没有脑袋的胡桃木小姐在很早以前就知道苹果树上枝丫交错，现在她感到了南方吹来的温暖的风儿，虽然她丢掉了春天的衣裳，但是少了这些衣服的束缚，她爬得更加轻松了。

当没有脑袋的胡桃木小姐爬到鸟窝的时候，知更鸟罗宾吓得飞向了森林深处。他的妻子出去捉虫了，所以孵蛋已经延迟了一个星期了。

与此同时，有一只知更鸟看到了一则刊登在报纸上的公告，是关于知更鸟罗宾早早孵出宝宝的……

可是当没有脑袋的胡桃木小姐到了老窝，她只是温柔地抚摸了这些蓝色的鸟蛋，然后继续移动。

现在这个鸟窝又阴森又隐蔽，没有脑袋的胡桃木小姐觉得需要在苹果树上再找一个更高的地方，那里会有更加温暖的阳光和更加猛烈的风雨。

没有脑袋的胡桃木小姐非常惊讶自己可以爬得那

么高。

不过这棵苹果树长满了节疤，棱角分明，每根树枝都给她家的感觉，因为她已经在这里住了很长一段时间了。

以前，没有脑袋的胡桃木小姐从来没有过这种感觉，直到现在没有了家。

原来，没有脑袋的胡桃木小姐可以走得更远，爬得更高。

没有脑袋的胡桃木小姐向上爬得越来越高，她甚至可以感受到阳光像温暖的金色斗篷般披在身上。微风从山的那头吹过来，穿过背风处，越过果园，把她吹得越来越高，好像她自己长出了翅膀一样。

没有脑袋的胡桃木小姐还有另外一种奇怪的感觉，可是却又说不出来。

她觉得自己身上的枝节充满了活力，正在发芽。她体内温热的树液像是真正的血液般不断翻腾。

没有脑袋的胡桃木小姐越荡越高，她真的觉得自己回到了家里，仿佛她原本就属于这里。

在整个过程中，没有脑袋的胡桃木小姐的双手都能感觉到树枝上的突起。

最后，没有脑袋的胡桃木小姐离鸟窝越来越远了，什么松鼠，什么高草坪，什么以前的日子，都被她远远甩在了脑后……

没有脑袋的胡桃木小姐感到有点累了，甚至开始犯困了，她的四肢摸索到了苹果树高处的枝丫处，她躺了进去。今天就这么结束了，这个没有脑袋的胡桃木小姐就在这里休息了……

第十五章
幸福归宿

现在是五月，阳光灿烂，四处花香四溢，到处都充满了生机。

那悬挂着大铜钟摆的老钟，又开始发出了嘀嘀嗒嗒的声音。

时间是永远没有终点的。

用来包《圣经》的毛巾已经被叠好放了起来。

墙壁上挂着老农夫的日历，已经翻到了五月，也就是第五张。

一阵香气飘来，房间里顿时芳香四溢，原来丁香花已经盛开了。

安也早早从波士顿学校回来了。

她向丁香丛下看去，那里原本有一个隔壁农场名叫蒂莫西的男孩用玉米棒做的房子，现在却变成一片废墟了。

安伤心地看着，因为那个玩偶——身体是苹果树枝，脑袋是胡桃木坚果，上面还有一个尖鼻子的玩偶已经不见了。

这时，农场男孩蒂莫西出现了，他吹着口哨快乐地走了过来。

“怎么了，安？你在寻找什么？难道你丢了什么东西吗？”

蒂莫西也往丁香丛下看。

“胡桃木小姐！”安告诉他，“她丢了，而且她的家，就是那个你为我做的玉米棒房子，现在已经变成废墟了！”

“好吧，我们可是经历了一个严酷的冬天。”他告诉安，“雪足足有十厘米那么厚，还有冰雹，你真不该期望那座玉米棒房子能够抵抗这种糟糕的天气！”

“但是，那个胡桃木小姐……”安快要哭了，“她真的丢了！你想想呀，蒂莫西，至少在废墟里应该有她的碎片啊！”

“现在，你听我说，安！”蒂莫西说，“你现在已经长大了，不需要玩玩偶了，而且我现在太忙了，要忙春耕，没有时间再给你做一个游戏屋了，所以，你还是把这件事忘了吧！”

安转身看着蒂莫西，生气地说：“我忘不了胡桃木小姐，你要明白，她不仅仅是个玩偶，她还是一个真正的人。她在新罕布什尔州出生，长大。我真的忘不了我的朋友——胡桃木小姐，蒂莫西，你应该知道这些的！”

哎呀，真是搞不明白这些女孩子，蒂莫西心想。

于是，他无奈地把双手放到工装裤的口袋里，吹起了口哨。

非常远的地方，从果园那里，好像是谁在回应他，传来了沙哑的“呀呀”声。

“是乌鸦克洛！”蒂莫西解释说，“他肯定会在夏天结束之前跟我们说的。”

“鸟儿是不会说话的！”安说。

“但是乌鸦克洛会说，或者至少他会想个办法让别人明白的！”蒂莫西告诉她，“他去过很多地方，也见过世面。他是一个领导者，而且当他听到我的口哨声时，如果他有重要的事情要告诉我，他会回应我的！”

“比如呢？”

安半信半疑。

“好吧。”蒂莫西解释道，“如果你不相信我，如果你觉得乌鸦克洛只是胡说八道的话，那么跟我来，你来看看，就当我们到果园散个步，安！”

他们到了果园，这个果园里到处都是苹果树，所有的树都开满了鲜花！

这里应该是睡美人苏醒的地方。

月桂树穿着全新的百褶裙，双手捧着紫罗兰，迎接宙斯之女珀耳塞福涅——在希腊神话中，珀耳塞福涅是众神之王宙斯与农业女神得墨忒耳的女儿,被冥王哈迪斯绑架到冥界与其结婚，成为冥后。

传说珀耳塞福涅每年有六个月的时间待在冥界，剩余的时间在人间与母亲在一起。

她在地上的时候，人间就是春季和夏季；在冥界的时候，人间就是秋季和冬季。

蓝知更鸟像箭似的在果园里穿梭着，翅膀像天空一样美丽。

在这片果园里，任何精彩的事情都可能发生……

安和蒂莫西肩并肩地穿过马路，那里有一堵石砌的墙壁，另一边就是叫作“高草坪”的地方。

一只脏兮兮的黑色老乌鸦就站在那里，正在用尽全身力气大声地叫唤着。

当他看到男孩和女孩的时候，他飞向了更远的地方，嘴里还不断地发出呀呀的声音。

“听起来好像他有什么话要说。”

安也非常赞成这种说法，所以两个人就跟随着这只乌鸦向远处跑去。

“而且他还喜欢听自己说话！”蒂莫西咯咯地笑着，然后又吹了声口哨。

“呀！呀！呀！”

乌鸦克洛的回应声从山坡的那头传来，那里在秋天将会长满麦金托什的苹果。

“一切都预示着一个丰收的季节。”蒂莫西接着说，“去年对面山里的苹果树结果了，不过当时麦金托什的还没有。看啊，现在都开花了！真香呀！”

他们俩站了一会儿，高兴地欣赏着苹果花开的美丽景象。

花儿有粉色的，有白色的，到处都是，围绕在安和蒂莫西的头上，遍布整个果园，一望无际，就像是翠绿的坦普尔山的粉色窗帘。

原来枝丫交错的树木都开满了鲜花，正像蒂莫西所说的那样，麦金托什的苹果树上盛开着最茂密、最可爱的花朵。

他们沿着一排排的树向前走着，蒂莫西一边走一边解说，很像一个小农夫，在安的面前卖弄着。

“我一直说没有什么可以比得上我们新罕布什尔的麦金托什苹果，这可是为你准备的苹果！个头大，颜色鲜红，汁多，味道非常甜美！咬一口，就会发出‘咯吱咯吱’的声响。放在桌子上也是漂亮的装饰。寒冷的夜晚，在壁炉前也能很快烘好……”

“停停停，蒂莫西！”安笑了，“听你这么说，我现在觉得好饿呀！”

“哦……”他告诉安，“我只是想让你知道这里还是有些东西值得你回来的。”

“嘿，蒂莫西，这里什么都有！”安抓起他的手，“只可惜少了胡桃木小姐。”

蒂莫西不得不打断了安的话题。

“这里有我一直喜欢的一棵树，那是一棵老的麦金托什的苹果树。唉，可惜我都不知道它有多久没被修剪了，人们都觉得它太老了，不值得这么做。它是我爷爷当年种下的。现在你再看看这个老家伙，它长得可是非常茂盛啊！”

他们在这棵老苹果树前停下来，这棵树长得不高，枝丫向四周伸展，你完全可以抓着枝丫从地上荡到高处。

蒂莫西吹了声口哨，乌鸦克洛沙哑的嗓音从上空回应着。

“那只乌鸦在哪里?”安问道。

“我也不知道，我爬上去看看。”

蒂莫西一边说，一边小心地爬上老苹果树，以免碰到那些正在盛开的花朵。

蒂莫西又吹了声口哨，乌鸦克洛发出了非常大的“呀呀”声，蒂莫西跟随着乌鸦克洛的呼唤来到了一根树枝上。

这里开满了鲜花，枝头刚好指向坦普尔山，它摇曳着，好像一个芭蕾舞演员。乌鸦克洛就站在上面。

“哇!”蒂莫西对着安大声叫道，“我在这里发现了一些东西，你能爬上来吗?”

“爬上来吧!”乌鸦克洛冷静地说，“这太简单了!呀!呀!”

为了不碰到娇嫩的花朵，安缓慢地旋转着，然后小心谨慎地从一根树枝走到另一根树枝上，看起来就像是在爬楼梯。

乌鸦克洛在上面左右移动着保持平衡，嘴巴里还不断地发出呀呀的声音。

正当安快要靠近蒂莫西的时候，她听见蒂莫西兴奋地叫喊。

“快看!”他指着那根花开得最多的树枝，“那是棵接穗！和其他树枝一样也在成长！不过，到底是谁把它接到这儿了？反正不是我，也不是任何我听说过的人。你看看，就是那边，你认为会是谁？”

安向着他指的方向望去——

那根看起来好像正在飞舞的新枝有着两只胳膊、纤细的腰身、两条腿，还有粉色的花朵。

它牢牢地抓着苹果树，长在一个分叉的地方。这里以前是树枝生长的地方，树枝后来被风刮断了，留下了一个充满树液的裂缝。

“接穗？”安问道。

“肯定的！新移植过来的树枝就叫接穗，放在一棵老树上面，它就会与老树长在一起，开始开花结果。我们经常会先用带子绑好，等到新树枝在老树上长结实了后再解开，这要持续很长一段时间。可是我有点不明白，我们今年春天没有嫁接，尤其没在老苹果树上！”

安坐在一根树枝上，小心翼翼地抚摸这根开花的接穗。

安虽然嘴上没说，但是她心想：“这根接穗看起来非常像胡桃木小姐的身体，尤其是脖子部分。可是，胡桃木小姐是有脑袋的呀！”

“它还会继续长吗？到时候会长出苹果吗？”安大声地

问蒂莫西。

“肯定会的！”蒂莫西说，“这个接穗在这棵树上衔接得非常好，它肯定会让整棵树都振奋起来，让整棵树，不过我不太明白的是……”

蒂莫西后来所说的话被乌鸦克洛的声音给遮盖住了，只见乌鸦克洛飞向远处的松树林，沙哑的嗓音从远处飘来。

“呀！呀！哈——哈！两条腿的总以为他们能解释外面发生的所有的事情！”

对胡桃木小姐来说，她已经成了一根接穗，不过她自己并不知道。

即使这样，胡桃木小姐也非常开心，她再也不用努力地思考了，而且她现在有了一个永久的家。

也许有一天，她很有可能给安——那个认出那根树枝是她的安——一个大大的红苹果！